Z.
Le testament de Jim

LES ÉDITIONS DES INTOUCHABLES
512, boul. Saint-Joseph Est, app. 1
Montréal (Québec)
H2J 1J9
Téléphone : 514 526-0770
Télécopieur : 514 529-7780
www.lesintouchables.com

DISTRIBUTION : PROLOGUE
1650, boul. Lionel-Bertrand
Boisbriand (Québec)
J7H 1N7
Téléphone : 450 434-0306
Télécopieur : 450 434-2627

Impression : Marquis imprimeur inc.
Conception graphique : Mathieu Giguère & Marie Leviel
Illustration de la couverture : Julien Castanié
Mise en pages : Marie Leviel
Direction éditoriale : Marie-Eve Jeannotte
Révision : Corinne De Vailly, Maude Schiltz
Correction : Élaine Parisien

Les Éditions des Intouchables bénéficient du soutien financier
du gouvernement du Québec — Programme de crédit d'impôt
pour l'édition de livres — Gestion SODEC et sont inscrites au
Programme de subvention globale du Conseil des Arts du Canada.

Nous reconnaissons l'aide financière du gouvernement du Canada
par l'entremise du Programme d'aide au développement de
l'industrie de l'édition (PADIÉ) pour nos activités d'édition.

Membre de l'Association nationale des éditeurs de livres.

Dépôt légal : 2011
Bibliothèque et Archives nationales du Québec
Bibliothèque nationale du Canada

ISBN : 978-2-89549-435-5

Cathleen Rouleau

LE TESTAMENT
DE JIM

À « Grosse Douceur » et « Ti-Singe », qui
à eux deux occupent un énorme morceau
du centre de mon univers.

♥

CHAPITRE 1

LE SOUVENIR DU PASSÉ

Août 1985[1]. Cette nuit-là, un jeune homme entra dans le laboratoire sans faire de bruit. La lune scintillait dehors et quelques criquets faisaient des bruits de criquet[2]. La porte se referma doucement lorsque le visiteur pénétra dans la pièce. Il n'avait pas eu besoin de crocheter la serrure, puisque la clé qui l'ouvrait se trouvait dans sa poche. Cet endroit était comme sa maison. Il y travaillait tous les jours, tout comme son collègue. À la fin de leurs études, aucun des deux ne pouvait s'offrir le luxe d'un laboratoire personnel. Ils avaient donc mis leurs économies en commun pour se payer le nécessaire utile à leur survie professionnelle. Une sorte d'échange de bons procédés. L'un

---

1. OK. Ce chapitre est un peu compliqué, je vous avertis. C'est long, pis plate, et en plus, y a plein de grands mots et d'expressions pas rapport. La bonne nouvelle, c'est que c'est pas super important. Dans le fond, ce qu'il faut que vous sachiez, c'est qu'y avait deux messieurs qui travaillaient ensemble autrefois et qu'un des deux a trahi l'autre. Ouin, j'suis d'même, moi. Je vous donne les punches avant même que vous ayez commencé le roman ! (NDA)
P.S. Je vous promets que les autres chapitres sont super le fun.

2. Ça aurait été vraiment cool si y avaient fait des bruits de caoutchouc mouillé ! Maudit qu'y sont poches, les criquets ! (NDA)

et l'autre pourraient faire avancer leur carrière dans les meilleures conditions possible. Le plus grand inconvénient serait de partager un espace de travail et des outils. Tout se déroulait assez normalement dans cette association. Le métier de scientifique se révélant plutôt solitaire, les deux hommes travaillaient chacun de leur côté, sans vraiment fraterniser ni trop se marcher sur les pieds. Bien sûr, quelques accidents survenaient de temps à autre. Des éprouvettes brisées, des Erlenmeyer oubliés sur le feu… Mais tout ça faisait partie des risques. Et de bonnes assurances les protégeaient de drames potentiels.

Cette relative quiétude aurait pu durer encore plusieurs années si l'un des deux n'avait pas eu la brillante idée, par un soir de juillet, de rédiger une thèse sur la matière noire. Selon lui, il était possible de « fabriquer synthétiquement » cette matière, issue de l'espace, qu'aucun astronome n'arrivait à clairement identifier. Dans son document, il soutenait la théorie selon laquelle la substance était composée de particules invisibles anormalement regroupées, et il donnait une foule d'hypothèses jusqu'alors jamais envisagées pour aider les chercheurs à aller plus loin dans la connaissance de cette intrigante masse sombre.

L'homme qui fouillait le laboratoire à la recherche de ce document, cette nuit-là, se foutait éperdument des effets de la matière sombre sur l'environnement spatial. Tout ça ne l'intéressait pas le moins du monde. Sinon, lui-même, en bon passionné, se serait mis à la tâche pour trouver des idées aussi révolutionnaires. Le problème était que la découverte de son collègue allait propulser celui-ci au sommet. On allait parler de lui partout dans le milieu. Il deviendrait le génie derrière la trouvaille. Le premier de sa cuvée à s'illustrer. Mais avant tout : il deviendrait riche. Très riche… Et il n'avait que 25 ans !

Le jeune homme fouilla dans tous les tiroirs. Sans résultat. Les armoires, la penderie, les classeurs et les boîtes ne furent pas épargnés. Mais l'étude en question ne se trouvait nulle part.

Où il a mis ça ?

Le frigo ? Peu probable. Mais certains scientifiques le faisaient. Ils scellaient sous vide leurs thèses et les mettaient au congélateur, qui constituait une cachette géniale où aucun voleur ne se donnait la peine de fouiller. Mais son collègue, selon toute vraisemblance, ne connaissait pas cette ruse. Une lumière s'alluma soudain dans son esprit. Il alla voir dans la boîte de courrier. Attenante à leur local, elle était facile d'accès pour quiconque en possédait la clé. Mais personne ne possédait la clé… Puisque cette dernière se trouvait cachée dans le haut du cadre de porte en tout temps.

Bingo !

Une grande enveloppe brune attendait qu'on la récupère. Au centre, on pouvait lire le nom de l'autre scientifique, ainsi que l'adresse de leur labo. Au coin supérieur gauche, les mêmes informations apparaissaient. Son collègue se l'était envoyée à lui-même. Il s'agissait là d'une autre stratégie, cette fois pour préserver les droits intellectuels d'un travail. Certains artistes faisaient la même chose. On n'avait qu'à se poster le texte (ou les feuilles, ou le fichier de musique) à notre nom, et à ne jamais ouvrir l'enveloppe. De cette façon, si quelqu'un volait l'idée, on pouvait facilement prouver qu'elle venait de nous, puisque la date du cachet de la poste en attestait. Et le fait que l'enveloppe était encore cachetée prouvait que le document s'y trouvait depuis cette même date.

L'homme enfouit le paquet dans son porte-documents. Son jeune collègue trouverait bien autre chose pour lancer sa carrière. Et son portefeuille ne souffrirait pas de cette perte : il travaillait à temps partiel dans une école. Une école… Pfff. À quoi bon se fendre le derrière avec des morveux, quand on est considéré par le monde entier comme un pur génie ?

Une dernière inspection du laboratoire lui confirma que rien de ses propres recherches n'y traînait plus. Il mit ensuite une plaque chauffante en marche, s'assura que le coin d'une pile de papiers touchait la partie brûlante de l'instrument et quitta l'endroit, en prenant soin de bien verrouiller la porte derrière lui.

CHAPITRE 2

LA MONNAIE DE SA PIÈCE

Un énorme « PAK » résonna dans sa tête, et elle sentit son cerveau vibrer sous la force de l'impact. Le coup de poing avait frappé si fort sur l'os de sa joue qu'une vive douleur lui laissait croire que sa peau était possiblement fendue ou, du moins, en train de bleuir. Ou de noircir… En fait, l'os de sa joue avait peut-être complètement éclaté, elle n'en savait rien du tout. Pour l'instant, une seule chose occupait son esprit : sortir de cette position fâcheuse. Si seulement il lui était possible de se défendre, mais les deux filles derrière elle la retenaient pour l'empêcher de bouger, si bien que les attaques de son adversaire arrivaient comme une décharge électrique à travers un bâton de métal : impitoyables et dévastatrices.

— Ça, c'est pour les cheveux à ma sœur ! lança la brute en lui assénant un autre coup, au ventre cette fois.

Il fallut un peu de temps à Meg pour comprendre, puisque toutes ses forces s'appliquaient à essayer de récupérer son souffle, coupé par la puissance du bras qui venait de la frapper. Mais les souvenirs remontèrent finalement à la surface et tout fut enfin clair : Jessie-Ann. Ses cheveux. Pour se venger de l'avoir ridiculisée, Meg avait passé un cours complet à cracher des morceaux de gomme dedans, ce qui avait forcé sa rivale à se les faire couper. Sans parler de la raclée qu'elle lui avait servie chez F.-X.... Et évidemment, la pauvre cloche ne pouvait pas régler ses comptes sans faire appel à sa sœur, plus vieille, plus grande et plus costaude. Et cette dernière ne pouvait surtout pas venir toute seule pour se battre ! Il fallait absolument que ses deux armoires d'amies soient présentes pour retenir Meg pendant que celle-ci recevait les coups. Pfff... Quelle famille de lâches...

— Pis ça..., ajouta la grande en balançant une grande claque sur la joue déjà meurtrie de sa proie... c'est pour y avoir pété la yeule !

Une série de coups tous plus forts les uns que les autres se mirent ensuite à pleuvoir, sans répit. Rien ne fut épargné : mâchoire, abdomen, tibias... Cette gigantesque fille s'en donnait visiblement à cœur joie.

Quelle journée abominable ! D'abord, la découverte macabre dans la conciergerie et ensuite, cet absurde règlement de comptes.

Une heure auparavant, le concierge était mort d'une crise cardiaque. C'est une fille de quatrième secondaire qui l'avait découvert, juste avant de pousser un grand cri d'horreur et de détresse. Évidemment, on ne peut pas crier à tue-gorge dans une école sans que tout le monde s'attroupe autour pour voir ci qui se passe. Il fallut donc plusieurs secondes à Jacques Létourneau pour réussir à traverser le troupeau de deux cent quatre-vingt-cinq élèves curieux et scandalisés réunis autour du corps inerte.

Pendant que tout le monde s'affolait, Zachari, lui, ne pensait qu'à une chose. Quelques semaines auparavant, ses amis et lui avaient découvert le secret du « fantôme » de Chemin-Joseph. L'homme à la face mauve, qui gisait par terre, jouait un rôle d'une importance capitale dans toute cette histoire. Sans lui, tout devenait presque impossible.

Cet homme nettoyait les vêtements de son protégé, lui fournissait le matériel nécessaire à ses recherches scientifiques, voyait à ce que personne ne découvre sa cachette, effaçait ses traces lorsque nécessaire ; il le protégeait au péril de sa vie. Grâce au concierge, Armand Frappet avait réussi à cacher son existence à la face du monde pendant vingt ans. Mais sans lui, il devenait une cible. Un danger public. Une menace pour la société. Pour la terre entière.

C'est suivant cette réflexion que Zach avait chuchoté : « Merde… Eugène ! » en voyant le pauvre homme mort par terre. Sa mini-acolyte aux cheveux mauves avait instantanément saisi toute la portée de ces deux mots. En un rien de temps, Jade, Émile, Maggie, Alice et Joël furent avertis, et chacun partit de son côté à la recherche de leur ami, désormais en danger.

Meg venait tout juste de passer la porte menant à l'extérieur quand une main s'était saisie de ses cheveux pour la tirer vers l'arrière avec force. Prise au dépourvu, elle n'avait même pas eu le temps de réagir, avant que deux filles très grandes, et apparemment très contrariées, lui bloquent solidement les bras en la tenant fermement appuyée contre leur corps géant. La minifille déploya toute la puissance de ses mini-muscles pour se libérer ; rien n'y fit. À ce moment, un énorme poing s'abattit sur son minivisage. Et la douleur n'eut rien de mini.

Ça devait bien faire cinq minutes maintenant que les trois traîtres lui labouraient le corps. Jessie-Ann et ses suiveuses assistaient au spectacle, un sourire aux lèvres. D'autres commençaient à s'agglutiner autour, avides de tout voir, comme si cette journée n'était pas déjà assez chargée en images violentes. Meg serrait les dents. Elle n'allait surtout pas leur donner la satisfaction de pleurer ou de crier. Endurer chaque assaut était tout ce qu'il lui restait. Un filet de sang s'écoulait de son nez maintenant. Tout son visage élançait. Et son œil gauche refusait de s'ouvrir. Tant pis.

— C'tu l'fun, de se faire taper dessus ? criait l'autre entre deux coups. Ça t'apprendra à faire du *beef* à ma famille ! Des p'tites mardes comme toi, j'en mange pour déjeuner !

— Ouain ben... Tu devrais peut-être... manger d'autre chose... Même qu'à grosseur que t'as, tu... devrais peut-être... carrément arrêter de manger..., réussit à articuler l'adolescente en s'efforçant de résister à l'obscurité qui l'envelop-pait peu à peu.

La sœur de Jessie-Ann ouvrit de grands yeux insultés et concentra toute sa force dans un dernier coup de poing au visage qui acheva d'assommer sa cible. Les genoux de Meg cessèrent de la soutenir et, quand les deux filles qui la retenaient prisonnière lâchèrent prise, elle s'effondra lamentablement par terre, à demi consciente. Après un dernier coup de pied dans les côtes, les tortionnaires reculèrent, satisfaites.

— T'es moins hot que tu pensais, là, hein ?! minauda Jessie-Ann en s'approchant doucement. C'est ça que ça donne quand on se prend pour une autre… P'tite conne !

Puis, elle se saisit d'une poignée de cheveux mauves, en coupa plusieurs mèches et les jeta sur le sol, parmi les gouttes de sang tombées du nez de Meg, qui était désormais incapable de remuer le moindre muscle. La grande rousse s'éloigna ensuite en ricanant, inévitablement suivie de sa troupe. Sa sœur était déjà loin, partie juste à temps, puisque Bob accourait au même moment vers le lieu de la bataille.

CHAPITRE 3

UN AU REVOIR DE LA MAIN

Pendant ce temps, à l'autre bout de l'école, Jade et Émile sillonnaient le grand corridor, là où se trouvait la bibliothèque. Aucun signe d'Eugène. Les seules personnes que les deux amis croisaient marchaient lentement, en chuchotant. On aurait dit que la grande faucheuse rôdait encore dans les parages et que la seule façon d'éviter de se faire prendre était d'agir le plus discrètement possible.

— On devrait peut-être aller voir dans le local de sciences, proposa Émile.

— T'as raison. Y doit y aller pendant les heures de dîner pour s'avancer dans ses expériences, vu qu'y a jamais personne !

Ils arrivaient tout près de l'escalier central quand Jade s'arrêta net. À quelques pas devant eux, des ambulanciers arrivaient, poussant une civière recouverte d'un drap. À travers celui-ci, on devinait très bien la forme du corps du concierge. Une centaine d'élèves suivaient le triste cortège en silence et avec délicatesse, comme une représentation humaine des fantômes d'un jeu de Mario Bros. Émile eut l'impression que si l'un des ambulanciers se retournait, tous les témoins allaient figer sur place en faisant semblant de ne pas exister.

Le mort recouvert arriva finalement devant les deux amis muets et perturbés. Cette situation était franchement inconfortable. Lécher un ver de terre géant aurait été plus agréable[3]. Jade se rapprocha d'Émile, espérant inconsciemment se protéger derrière l'épaule du garçon. Malgré son air inébranlable, lui-même regretta de ne pouvoir se réfugier derrière quelqu'un.

C'est alors que se produisit l'événement le plus perturbant de toute la journée, et même probablement de toute l'année. Pendant que la parade funeste défilait devant les yeux des deux amis figés par l'angoisse et le malaise, la main du concierge glissa de la civière, jaillit à l'extérieur du drap, et se mit à pendre mollement sur le côté. Il n'en fallut pas plus pour déclencher un hurlement hystérique dans la bouche de Jade, qui sembla perdre toutes ses couleurs d'un seul coup. Ses grands yeux s'emplirent instantanément d'effroi et ses doigts semblèrent sur le point de casser tellement ils étaient crispés aux limites du raisonnable. Entraîné par la panique de la belle, Émile étouffa aussi un cri et recula jusqu'au mur le plus près. S'ensuivit une escalade de frayeur. Tous ceux qui se trouvaient à proximité commencèrent à jouer du coude pour essayer de voir, puis l'attroupement complet des élèves

---

3. Et nutritif! Paraît que les insectes sont pleins de vitamines! Mais personnellement, j'aime quand même mieux les vitamines Pierrafeu… (NDA)

intrigués commença à se rapprocher. Il n'y avait plus aucune subtilité dans leur attitude. Les ambulanciers comprirent aussitôt qu'il se passait quelque chose d'anormal. L'un d'eux inspecta rapidement leur cargaison et réalisa ce qui venait d'arriver. Il s'empressa de remettre la main à sa place, puis s'approcha de Jade, qui criait toujours, pour la rassurer et la calmer. Derrière, la curiosité l'emportait sur la discrétion. Une rumeur s'éleva, à travers laquelle on saisissait des bouts d'hypothèses au sujet de la réaction de Jade :

— J'pense que le concierge a bougé !

— Quoi ? Y est pas mort pour vrai ? !

— Quoi ? Y a *parlé ? !*

— Tu veux dire que la fille là-bas a voit les mort ? !

— Hein ? ! Y a dit son nom ? !

Rien n'allait plus dans le grand corridor surchargé. Certains chignaient, d'autres gigotaient. Une fille faisait semblant de manquer d'air pour attirer l'attention ; une autre ricanait nerveusement avec son amie. Même chose du côté des garçons : quelques-uns s'obstinaient entre eux, pendant que d'autres appelaient leurs amis plus loin. On posa des questions aux ambulanciers, qui essayaient de contenir tout le monde en affirmant qu'il n'y avait rien à voir.

Partout, la cacophonie faisait rage, comme au beau milieu d'un match de football. Sauf qu'il n'y avait ni match ni football.

Le directeur arriva enfin et siffla entre ses puissants doigts de monsieur. Le silence retomba d'un coup sur l'assemblée, et Jacques en profita pour beugler quelques consignes :

— TOUT LE MONDE DANS LA CAFÉTÉRIA TOUT DE SUITE ! TOUT DE SUITE ! ON DÉGAGE LE CORRIDOR ET ON LAISSE LES AMBULANCIERS FAIRE LEUR TRAVAIL ! J'AI DIT TOUT DE SUITE !!! GO ! GO ! GO ! GO ! GO !!!

Comme une vague au bord de la mer, tout le monde se retira en reculant et obéit aux directives. Jade et Émile en profitèrent pour suivre le mouvement. En un temps record, le corridor redevint calme. Les deux hommes chargés d'emporter la dépouille se remirent en route et, enfin, la journée suivit son cours.

CHAPITRE 4

JOUER À CACHE-CACHE

— C'est quoi ça ? Qui c'est qui a fait ça ? ! cria Bob à l'attention des témoins.

Personne n'osa répondre. Quand on est au secondaire, on ne veut pas passer pour le « stooleux » de l'école. Et on ne veut surtout pas que la sœur de Jessie-Ann revienne nous régler notre compte à nous.

Bob prit Meg dans ses bras et l'emmena directement à l'infirmerie, sous le regard médusé de tout le monde. Elle avait à peine conscience de ce qui se passait.

On venait de l'installer dans un petit lit quand Zach arriva en trombe à la porte du local, essoufflé et pris de panique. Joël suivait derrière, à bout de souffle. C'est lui qui avait rapporté l'histoire. Près de la cafétéria, toutes sortes de rumeurs circulaient. Les langues allaient bon train, en disant bien sûr que le concierge aurait apparemment bougé, mais aussi que « la gothique » se serait fait battre « presque à mort ! ». Et il n'en fallut pas plus au blondinet dodu pour s'affoler et partir à la recherche de réponses.

— MEG ! cria Zachari en se ruant vers son amie, sans se soucier de quoi que ce soit d'autre.

Cette dernière remua la tête. Elle était plutôt laide à voir. Lèvre fendue, œil au beurre noir, paupières gonflées, épuisée, ensanglantée... On aurait dit un boxeur après son dixième round contre un gorille.

— Y paraît que c'était la sœur à Jessie-Ann? s'empressa de demander Joël.

— S'en fout..., fut la seule réponse que la blessée prononça.

Elle voulut ensuite se tourner sur le côté et poussa un gémissement de douleur. L'infirmier l'examina un instant.

— Hmm. Ça regarde pas bien. On dirait que t'as une côte fêlée, ma belle. Ou brisée, je l'sais pas, y va falloir que tu ailles passer des radiographies. J'vais appeler ton père.

Avant même que le téléphone ne soit décroché, Jacques Létourneau rebondit dans la pièce. Ses cheveux en bataille ainsi que sa cravate débraillée laissaient deviner qu'il était totalement dépassé par les événements. François, l'infirmier, lui donna quelques renseignements à voix basse. Les sourcils du directeur se soulevèrent dans une expression d'étonnement confus. Il se tourna vers le lit en demandant:

— Voulez-vous bien me dire qu'est-ce qu'y se passe ici, pour l'amour du ciel?!

Dans sa voix transperçaient des notes de panique. Meg ne se donna même pas la peine de répondre.

— Qui t'a fait ça, Mégane?!

— Sais pas. Connais pas.

— Tu les *connais pas ?!*

— Y viennent pas à l'école ici, là, je l'sais pas ! articula-t-elle plutôt clairement malgré son état lamentable.

Joël se mordit l'intérieur de la joue pour se retenir de tout déballer. Si Meg refusait de donner plus de détails, il y avait probablement une raison. Et si lui s'occupait de dire ce que le père de celle-ci voulait entendre, elle pouvait très bien décider de lui déchirer les narines.

— Écoute-moi bien, jeune fille. Là, j'ai une crise à gérer, mais je te suggère fortement de me trouver une autre réponse que ça d'ici à ce que je revienne, parce que je me contente pas d'un « je sais pas c'est qui », surtout quand mon enfant a peut-être une côte brisée ! Ça vaut pour tout le monde ici ! Je veux un nom !

Sur ces mots, il quitta la pièce, en rogne. Dès qu'il eut franchi la porte, Émile et le reste du groupe entrèrent. Sur chaque visage se lisait de l'inquiétude.

— *Oh my GOOD !* s'exclama une Jade encore secouée par les récents événements en voyant son amie alitée.

— Qu'est-ce qui est arrivé ?! renchérit Maggie.

— Tes cheveux ! s'exclama Alice.

La minifille soupira, et Zach s'empressa de répondre qu'elle n'avait pas envie d'en parler.

— Eugène ? demanda Meg comme pour changer de sujet.

Maggie hocha la tête en signe de négation.

— On a fouillé partout, dit-elle.

— Sauf dans sa chambre, rectifia Joël.

— Ouain, mais on peut pas y aller, là…, fit Jade.

— Pis on n'a pas réussi à se rendre dans le local de sciences non plus, fit Émile en jetant un petit regard vers la belle.

— On n'aura pas le choix, décida Zach. C'est sûr qu'y est dans sa chambre.

CHAPITRE 5

UN—DEUX—TROIS POUR TOI

On pouvait voir un va-et-vient continuel devant l'auditorium. L'école grouillait dans tous les sens. La troisième période allait bientôt commencer, car malheureusement, celle-ci ne serait pas annulée. Le directeur avait décidé que chacun se rendrait en classe et que les professeurs profiteraient de l'heure et demie de cours pour parler de ce qui venait de se passer et essayer de calmer les esprits troublés. Si on terminait la journée tout de suite, on alimenterait l'état de panique et plusieurs élèves demeureraient traumatisés par les récents événements. Cette troisième période consistait donc en une sorte de thérapie de groupe. Les secrétaires profiteraient du moment pour appeler les parents, et ensuite seulement on pourrait prendre congé et enfin retourner à la maison.

Zachari, Émile, Maggie, Jade, Joël et Alice n'osaient pas avancer la main vers la poignée de la grande porte en bois.

— Qu'est-ce qu'on fait? demanda le blond grassouillet.

— On pourrait foxer la prochaine période? proposa Émile.

— Euh… NON! s'écria Maggie.

— Arrête, là! Y aura même pas de cours! Y vont juste parler avec nous autres pour voir si on est corrects!

— Ben oui, mais j'ai jamais foxé, moi! Pis mes parents vont m'tuer si je l'fais!

— Tu leur diras que t'étais trop bouleversée pour aller dans ton cours, y vont comprendre, là: y a quelqu'un qui est MORT!

— Pour vrai, ça m'étonnerait qu'y t'engueulent quand y vont savoir ce qui est arrivé, accorda Alice.

— T'as-tu dis le mot «bouleversée»? releva Joël. Depuis quand tu connais des mots à trois syllabes, toi?

Tous pouffèrent de rire. Émile répliqua en donnant un léger coup de poing sur l'épaule de son ami. Ça faisait du bien de rigoler un peu. L'atmosphère était très lourde depuis le matin. Maggie ajusta ses lunettes en réfléchissant, sous le regard insistant de ses compagnons.

— *Come on*, là! fit Jade.

Après un soupir d'agacement, elle céda:

— OK, là! Mais j'aime pas ça!

— Ben oui, on le sait, ça, répondit Joël.

La cloche sonna et le corridor commença à se vider tranquillement. Bientôt, il ne resta plus personne. À part les voix de Jocelyne et de Carmelle qui résonnaient en sourdine, tout était relativement tranquille.

Zachari tira sur la poignée, hésitant. La porte s'ouvrit sans résister.

— C'est bizarre qu'a soit pas barrée, remarqua Alice.

— Ben d'habitude, le concierge y vient toujours vers 11 h. Peut-être qu'y était juste parti chercher quelque chose dans son bureau quand y est mort.

Un petit silence de malaise suivit. Évoquer la mort du concierge était étrange. Et pas très agréable. Jade frissonna en revoyant mentalement la main sortir de sous le drap. Son cœur se remit à pomper rapidement et elle dut se concentrer très fort pour ne pas se remettre à produire des larmes. Les amis se faufilèrent dans l'immense pièce sans rien ajouter. Il faisait très sombre à l'intérieur, ce qui ne les empêcha pas de repérer rapidement l'entrée qui menait vers la cachette secrète d'Eugène. Une deuxième ouverture les attendait sous la scène ; celle-là, plus petite et plus difficile à trouver dans l'obscurité. Ils finirent néanmoins par tomber dessus et s'y glissèrent furtivement sans oublier de refermer derrière eux.

— Merde, c'est vrai, la dernière fois qu'on est venus, on avait nos lampes de poche, observa Émile.

Le couloir qui sillonnait l'intérieur des murs jusqu'à la chambre d'Eugène était encore plus noir. Personne ne pouvait voir quoi que ce soit, et les six alliés avançaient lentement en file indienne, chacun se tenant aux vêtements de celui qui le précédait. Zachari ouvrait la marche en tâtonnant les murs, à l'aveuglette.

— Joël, 'tention, tu me marches s'es pieds! chuchota Maggie, irritée.

— Mais j'vois rien!

— *Tout le monde* voit rien! Fais attention!

— J'pense qu'on arrive au tournant, les avertit Zach.

Une petite lumière se reflétait faiblement sur la paroi murale devant eux. Eugène devait avoir allumé une chandelle pour travailler. Le groupe se dirigea vers la clarté diffuse.

— Et dire que tout ce temps-là, je n'ai jamais pensé que ça pouvait être toi! fit quelqu'un dans la pièce.

Tout le monde s'arrêta d'un bloc. Il ne s'agissait pas d'Eugène. Mais qui donc pouvait être là? Personne ne connaissait cet endroit, à part le directeur, le concierge et eux. Joël eut l'impression de reconnaître la voix, qui se trouvait un peu modifiée par les notes d'agressivité qui filtraient à travers elle.

— Heille, c'est la voix à qui ça? osa-t-il demander en chuchotant.

— Chhhhht! répondit Maggie en le tapant du bout des doigts.

Se faire prendre était la dernière chose qu'ils voulaient. Après plusieurs secondes, Eugène répondit enfin à son interlocuteur:

— Comment tu as su?

— Excuse-moi, mais pensais-tu vraiment que j'allais tout simplement laisser tomber?! Toi plus que n'importe qui devrais savoir que ça m'en prend beaucoup plus pour abandonner!

Sincèrement… *Disparaître?* C'est ce que t'as trouvé de mieux?! Après le flop monumental de ta thèse sur la masse noire, j'ai compris que je m'étais fait avoir.

— Eh bien, quand on vole le travail d'autrui, il faut se préparer à l'éventualité d'un échec… Ce n'était pas la première fois que tu fouillais dans mes affaires et je voulais te donner une leçon.

— Ouais… Reste que ta «leçon» m'a enlevé toute ma crédibilité! Tout le monde rit de moi, maintenant, on me considère comme un pauvre débutant!

— On récolte ce que l'on sème…

— C'est pour ça que tu es parti en coup de vent? Parce que… qui sème le vent récolte la tempête… Tu vas payer cher, Armand.

— Comment as-tu su que j'étais ici?

L'homme marqua une pause avant d'avouer:

— C'est un ami à moi, Daniel, qui m'a passé un coup de fil, l'autre soir. Pour une raison obscure, il avait construit une cachette secrète dans un local quelconque, je n'ai pas trop compris ce bout-là de la conversation. Y paraît qu'il avait installé une caméra là-dedans, pour surveiller je sais pas quoi, l'évolution d'une œuvre, je pense… Mais bon, *grosso modo*, y a des élèves qui y sont allés en fin de semaine passée et, automatiquement, la caméra s'est mise en fonction parce qu'elle est reliée à un détecteur de mouvement. Très astucieux comme idée…

Zach se retourna vers les autres. Toute la bande échangeait des regards honteux et horrifiés. Ils connaissaient déjà la suite :

— … Bref, les jeunes arrêtaient pas de parler d'un fantôme qu'y voulaient attraper. Jusque-là, c'était sans intérêt, c'était juste des adolescents ridicules qui couraient après un mythe. Mais la dernière fois qu'y sont passés, c'était pour récupérer leurs sacs de couchage et leurs effets personnels. Je sais pas où y s'en allaient, mais d'après moi, ils avaient trouvé ce qu'y cherchaient, parce que ça jasait fort dans ce trou-là !

Toute la conversation leur revint alors en mémoire, comme une brume épaisse de malheurs. Ce soir-là, en récupérant leur matériel pour aller dormir dans la chambre d'Eugène, Jade s'était exclamée : « Une chance que c't'un scientifique, sinon on aurait jamais su quoi faire avec la piqûre d'abeille ! » Ce à quoi Joël avait répondu : « Ben oui, mais si y avait pas été scientifique, y aurait pas eu d'abeille pour te piquer, fait que ça s'annule. » Puis Maggie avait réfléchi et dit : « Wow, j'en reviens pas que *le concierge* soit le SEUL à savoir toute l'histoire, pis à s'arranger pour que personne le trouve ! Ça fait quand même vingt ans qu'y a disparu ! » Et les dernières paroles, prononcées par Émile, alors même qu'ils sortaient tous de la pièce secrète, furent : « Pas juste le concierge. Le directeur, aussi. ».

Zachari se retourna d'un mouvement vif et poussa frénétiquement sur Alice, située derrière lui, ce qui engendra un mouvement de recul de tout le monde. Il fallait quitter cet endroit. Rapidement. Tout en continuant de pousser, il gesticulait comme un névrosé, question d'accélérer le processus, bien que cette obscurité quasi opaque ne les aidât pas à bouger aussi vite qu'il l'aurait voulu.

— Qu'est-ce qu'y se passe?! s'informa Émile, une fois de retour sous la scène.

— Ouain? Pourquoi tu nous as fait sortir, c'était pas fini! plaida Jade.

— Mais vous comprenez pas?! fit Zach, terri-fié. Le concierge, y est *mort*!!!

— Oui, mais c'est quoi le rapport? demanda Joël.

— Quand on est retournés chercher nos affaires dans la cachette, on a *dit* qu'y était le *seul* à connaître l'histoire d'Armand Frappet! Pis à cause de la maudite caméra, y nous ont entendus!

— Tu veux dire que ça serait *eux autres* qui l'auraient tué pour savoir y était où Eugène?! comprit Alice.

— Ben... ALLÔ!!! Pis par où vous pensez qu'y est passé pour se rendre jusqu'à la chambre, d'après vous?

— Hon! C'pour ça que l'auditorium était ouvert! conclut Émile. Y a tué le concierge, y a pris ses clés pour débarrer la porte...

— Pis comment vous pensez qu'y va *ressor-tir*?! le coupa Zach.

Alice échappa un petit cri de détresse et tout le monde commença à s'énerver.

— Attendez, là, calmez-vous, dit Maggie en essayant de demeurer lucide. Ça veut pas dire qu'y est passé par ici : c'est ben plus facile d'y aller par la partie non rénovée. Faut le savoir, qu'y a une entrée par ici. Nous autres on a fouillé, mais ça veut pas dire que lui y le sait.

— Peut-être, lui accorda Jade, mais on devrait quand même pas prendre de chances, juste au cas où !

— Mais attendez ! intervint Joël. Qu'est-ce qu'on fait ? Y a quand même *quelqu'un* qui est avec Eugène EN CE MOMENT, pis si vous voulez mon avis, y a pas l'air de juste vouloir jaser avec en y jouant dins cheveux !

— Faudrait aller le dire à Jacques, décida Zachari.

— Ben oui ! Pour qu'y sache qu'on est en train de foxer ! observa Maggie.

— Heille, on s'en FOUT de foxer, : Eugène y est en DANGER pis c'est de *notre faute* !!!

— … T'as tellement raison, réalisa-t-elle. On y va !

Évidemment, il fut impossible d'entrer en contact avec le directeur, celui-ci étant occupé à répondre aux questions des policiers. Le secrétariat était fermé. Ni Jocelyne ni Carmelle ne se trouvaient à leur bureau. Sur la porte, on pouvait lire l'inscription suivante : « Prière de ne pas déranger ! – La direction. »

Même lorsqu'on frappait, personne ne venait répondre. Impossible également d'accéder au bureau du concierge. De grandes bandes de plastique encadraient cette section de l'école, ce qui n'empêchait pas de voir la porte ouverte. Jade eut une vive exclamation de surprise. Tous les yeux se tournèrent vers elle.

— Les boîtes à Euge! Regardez!

Les précieux documents d'Armand Frappet, que le concierge gardait dans des cartons rangés au fond de son bureau, avaient disparu.

— Qu'est-ce qu'on fait? demanda Joël.

— Je l'sais pas, avoua Zach, contrarié.

— Peut-être que Mégane aurait une solution? proposa Alice faiblement.

Bien entendu. Meg saurait quoi faire. Elle trouvait toujours comment se sortir d'une impasse. Ils coururent jusqu'à l'infirmerie. Étrangement, personne ne se trouva sur leur chemin. Pas même Bob, qui aurait normalement dû surveiller les corridors à cette heure. À croire que tout le personnel se trouvait avec le directeur et les policiers.

Meg dormait quand ils entrèrent dans la pièce. François leva les yeux en voyant les six adolescents débarquer en trombe.

— Non. Non! objecta l'infirmier en courant vers l'entrée pour leur bloquer le passage. Vous ne POUVEZ PAS entrer ici quand ça vous tente, et encore moins déranger ceux qui se reposent!

Jade fut la plus rapide et se faufila dans la pièce avant que l'homme ne puisse fermer la porte devant son nez. Elle courut vers le lit en parlant fort et vite:

— Meg! Meg! On a un gros problème!

Cette dernière se réveilla en sursaut et leva la main, comme pour se défendre. Voyant que rien ni personne n'allait l'attaquer, elle la rabaissa.

— C'est Euge ! continua la belle fille, sans se préoccuper de l'adulte qui criait dans sa direction. Y l'ont trouvé !

— Qui ça ? demanda Meg, alarmée.

— On l'sait pas, mais on est allés dans… Euh…

Elle marqua une pause pour réfléchir à la façon de tout dire sans donner de détails, puisqu'il y avait un intrus dans le local. Ils avaient promis de ne jamais rien dire à personne à propos de leur découverte ; la sécurité de tous en dépendait. Jade n'eut pas le temps de mettre de l'ordre dans ses pensées que François l'accrocha par le bras et la tira vers les autres, qui attendaient au-dehors, anxieux.

— Y était pas tout seul ! cria Jade en essayant de ne pas perdre pied pendant qu'on l'entraînait vivement vers la sortie. Y l'ont trouvé ! Y a quelqu'un avec lui *dans la chambre ! ! !*

Meg se leva d'un bond et se précipita vers la porte, qui se refermait sur son amie. L'infirmier voulut l'empêcher de sortir :

— Heille, non, non ! T'es pas…

— J'suis correcte, laisse-moi sortir ! ordonnat-elle d'une voix forte en avançant résolument.

L'homme, surpris par tant d'autorité, n'eut d'autre choix que de la laisser passer, mais il ajouta quand même :

— J'vais laisser savoir à ton père que t'es partie sans m'écouter !

Sa réplique tomba dans le néant. Le groupe avait d'autres canards à fouetter[4]. La minifille marchait le plus rapidement possible, devant les autres, qui essayaient de suivre la cadence. Une douleur lui rappelait que ses côtes avaient encaissé plusieurs coups, et son œil tuméfié refusait toujours de s'ouvrir. Mais pour l'instant, il y avait plus important que son propre confort.

Il fallut à peine trois minutes avant que les sept amis arrivent au tournant faiblement éclairé.

— Lâche-le tranquille ! ordonna Meg en faisant irruption dans la chambre.

Sa phrase se répercuta sur les murs, car il n'y avait plus personne dans la pièce pour l'entendre. Un désordre épouvantable régnait, comme si une tornade était passée par là. Des livres traînaient partout sur le sol, pêle-mêle, ouverts, les pages pliées ou arrachées. Comme du vomi de bibliothèque. Le verre d'un pot cassé s'étendait en milliers de morceaux au pied d'une des tables de travail. Un crapaud sautillait allègrement sur les tapis enchevêtrés en essayant de trouver la sortie. L'étagère reposait par terre, dans un piteux état. Les objets qu'elle contenait avaient été projetés dans tous les sens. Jade s'accrocha à la main d'Alice, qui se tenait juste à côté. Une crainte froide s'installa graduellement dans le cœur de

---

4. Paraît que c'est pus à mode de fouetter des chats. De toute façon, sont tellement niaiseux ; après trois secondes, y pensent que c'est un jeu, pis y se mettent à ronronner en courant après le fouet pour l'attraper. (NDA)

tout le monde. Ce carnage n'annonçait rien de bon.

— Faut trouver Eugène ! déclara Émile, soudainement poussé par une urgence folle.

— Attendez ! fit Meg, concentrée à observer quelque chose coincé sous un oreiller.

Quelqu'un avait glissé une enveloppe là, de façon à ce qu'elle ne soit visible que sous un certain angle. À l'intérieur, une lettre semblait leur être destinée :

Si vous lisez ceci, c'est qu'il est arrivé un grave incident et que vous êtes les derniers à pouvoir protéger mon travail. En perçant mon secret, vous m'avez fait réaliser que personne n'est à l'abri, même caché, même protégé. Les gens qui cherchent finissent toujours par trouver et si vous êtes arrivés à remonter jusqu'à moi, quand vous ne saviez même pas ce que vous cherchiez réellement, alors n'importe qui déployant un minimum d'efforts peut en faire autant. Si cela devait arriver, il faut absolument avertir Jim et le mettre en garde. Mon inquiétude est qu'on s'en prenne à lui pour m'atteindre moi (fasse le ciel que non !). Dans ce cas extrême, j'aurais besoin de vous à un point presque impossible à imaginer. Votre quête sera de retrouver ma formule et de la détruire avant qu'il ne soit trop tard. Vous connaissez l'importance de cette formule et savez ce qui pourrait arriver si son existence était dévoilée ou si quelqu'un s'en emparait. Il en va de la sécurité de tout le monde... Lorsque je l'ai donnée à Jim pour qu'il la cache, il m'a prévenu que s'il lui arrivait quelque chose à lui, la seule façon de la récupérer serait de "suivre la piste", en partant d'un premier indice que voici:

"La carte est dans le cuir tracé à l'aiguille."

À mon humble avis, il s'agit d'une carte qui indique l'endroit où la formule est cachée. Et cette carte est probablement dans un objet en cuir sur lequel on peut voir des coutures. Je peux me tromper, mais cette hypothèse m'apparaît logique.

J'espère sincèrement que vous n'aurez jamais à lire cette lettre. Si vous le faites, c'est que le monde tel que vous le connaissez est sur le point de changer... Et que son seul espoir réside dans votre curiosité et votre acharnement.

A.F.

Tous se regardèrent, un pli d'inquiétude barrant leur front. Il y eut un long moment de réflexion, au bout duquel Joël ne trouva qu'à dire:

— Wo…

Ils réalisaient maintenant les conséquences monstrueuses de leur chasse au fantôme.

— … On est dans le trouble, ajouta Émile.

— Ouain, ben ça serait peut-être une bonne idée de pas perdre notre temps! lança Maggie.

Ils allaient sortir quand un objet attira l'attention de Zach. Là, près de l'étagère renversée, l'aspireau traînait au sol. Les paroles d'Eugène lui revinrent en mémoire :

« … Encore là, il s'agit d'une invention dangereuse. Imaginez si ça se retrouvait vraiment dans un lac! Ou pire : dans un océan! Avant longtemps, nous n'aurions plus d'eau du tout! »

Si cette invention tombait entre de mauvaises mains, ça signifiait pratiquement la fin de la terre. Zachari imaginait déjà le scénario : le méchant qui s'empare du cube et qui fait disparaître toute l'eau de la surface de la terre, sauf une source dont lui seul connaît l'emplacement[5]. Tout le monde serait obligé de se tourner vers lui pour pouvoir boire, et une seule gorgée coûterait au moins cinq cents dollars. Les pauvres mourraient et lui, ce malade, cruel et sans pitié, deviendrait le roi du monde. Mieux valait protéger l'aspireau, puisque celui qui voulait du tort à Eugène ne l'avait pas encore trouvé. Le garçon ramassa l'objet rapidement, le mit dans sa poche et sortit à la suite des autres.

---

5.   Saviez-vous qu'il n'y a que trois pour cent d'eau potable sur la terre entière? La prochaine fois que vous irez souper avec le président des États-Unis, vous lui sortirez cette phrase. Vous allez voir, y va être ben impressionné… Vous pouvez aussi lui dire que vous êtes capable de lécher vos propres oreilles, mais sa réaction risque d'être légèrement différente. Surtout si vous le faites pour de vrai. (NDA)

CHAPITRE 6

LE CUIR ET L'AIGUILLE

Les sept amis s'étaient réfugiés dans l'agora pour faire le point sur cette histoire sordide. Ils se foutaient bien de se faire prendre : si quelqu'un les envoyait chez le directeur à cause d'une « absence en classe non justifiée », tant mieux ; de toute façon, ils devaient absolument parler à Jacques Létourneau. Ainsi, pas besoin de mentionner Eugène à qui que ce soit, et eux auraient exactement ce qu'ils voulaient. En attendant, il fallait à tout le moins essayer de mettre de l'ordre dans leurs idées.

— Une carte…, réfléchit Alice à haute voix.

— C'est sûrement un sac, genre…, fit Jade. Ou une valise. Mon père en a une valise en cuir, pis me semble qu'y a des coutures dessus.

— Ben oui, mais le concierge y a pas besoin de valise pour travailler, observa Émile.

— Ben si on en trouve une dans son bureau, ça va être facile : ça va vouloir dire que c'est ça ! remarqua Zach.

— En fait, faut qu'on cherche n'importe quoi en cuir, dans son bureau, conclut Maggie.

— *Let's go*, c'est là ! décida Meg.

Chose dite, chose faite. Toute la troupe se déplaça vers la conciergerie. Mais la recherche ne donna pas de grands résultats. À part un vieux portefeuille perdu (qui fut fouillé de fond en comble à la recherche d'une section dissimulée pouvant cacher une carte… sans résultat) et des gants (qui eux non plus n'avaient rien à cacher), on ne trouva aucun cuir digne de ce nom. Aucune valise, aucun sac, aucun porte-documents.

— Oh non…, laissa tomber Zach.

— Quoi? fit Jade.

— Ça pourrait être un livre. T'sé, au début de l'année, y avait caché une note dans un livre de médecine, pour qu'Eugène la trouve… Pis y a plein de livres que la couverture est faite en cuir.

— Ça veut dire que ça serait *quelque part* dans bibli?

— Ça se pourrait…

— Ouain, mais même à ça, y en n'a pas *tant que ça*, des livres faits en cuir, remarqua Maggie.

— Qu'est-ce qui est en cuir, dans l'école? demanda Alice.

— Plein d'affaires, répondit Joël. Y a les fauteuils dans la bibli… Y a des souliers, des fois, qui sont faits en cuir…

Tout le monde balaya instantanément le sol du regard dans l'espoir de trouver une paire de chaussures en cuir dans la conciergerie. En vain.

— Les *running shoes* qu'y avait dans les pieds, sont comment? pensa soudain Émile.

— Oublie ça, ses *running shoes* sont tellement dégueu que c'est sûr qu'y sont pas en cuir! s'exclama Jade.

— Sinon? insista Meg. Quoi d'autre qui est fait en cuir?

— Ben…, reprit Joël. Y a… des coffres à crayons… Y a, euh… Chloé…!

— Hein?!

— Ben du cuir… c'est de la «peau de vache», non? rétorqua leur ami blond, très fier de sa blague.

— Ah Jo, t'es cave, c'pas le temps de niaiser, fit Maggie, agacée.

— Pis Chloé, est pas vache, précisa Zachari, touché dans son affection pour la belle enseignante.

Un long silence creusa la conversation et s'installa confortablement. L'écho d'un prof au loin venait parfois troubler la période de réflexion. Le tic-tac d'une horloge faisait son travail de tic-tac de l'autre côté du corridor et Zach se dit qu'il n'avait jamais pris conscience de la présence de cette horloge. Où donc pouvait bien se trouver cette foutue carte?

Suivre la piste… Quelle piste?

— *Oh my GOOD!* s'exclama soudain Jade sans prévenir[6], en fixant le vide de ses grands yeux troublés.

— Quoi?!

— D'la *peau…* Son tattoo!

---

6. En même temps, ça gâche toujours un peu l'effet, quand tu préviens les gens que tu vas t'exclamer: «Attention tout le monde, je vais m'exclamer soudainement… *OH MY GOOD!!!* …Pis? Êtes-vous surpris?» (NDA)

— De quoi tu parles ?! fit Meg, impatiente.

— Y avait un tattoo sur son avant-bras !

Comme un film qu'on écoute au ralenti, les images s'étaient mises à bouger dans la tête de l'adolescente : la main sortant du drap, apparaissant comme un objet qui s'anime par magie. L'étrange balancement, de gauche à droite, à cause de la gravité. Et sur cette vieille peau inerte qui prenait l'air sans demander la permission : un tattouage. Bien gravé dans les pores dilatés de l'homme sans vie. Jade expliqua son raisonnement :

— Du cuir, c'est de la peau, hein ? Pis l'aiguille… Ça prend une aiguille pour faire des tattoos, non ?! J'pense que c'est ça que ça veut dire : son tattoo, c'est ÇA, la carte !

— Quel genre de tattoo ? s'empressa de demander Zach.

— Donnez-moi du papier pis un crayon !

Elle ne pourrait jamais effacer les détails de sa mémoire. Dans cinquante, dans quatre-vingts ans, son souvenir serait encore vif et clair, aussi limpide que du cristal liquéfié. Saisissant les outils que lui tendait Maggie, la belle dessina précisément ce qui se trouvait sur l'avant-bras du concierge.

— Ça veut dire quoi ça?

— Je l'sais pas…

— On dirait un avertissement, comme ceux qu'y a sur les bouteilles de nettoyant, remarqua Joël. T'sais, là, « danger », « attention, toxique », ces affaires-là.

— Penses-tu?

Ils passèrent au peigne fin les produits entassés dans le petit local. Sur l'emballage de plusieurs, on trouvait beaucoup de symboles, mais aucun ne ressemblait vraiment au dessin de Jade. L'un d'eux s'en rapprochait vaguement, mais pas assez pour qu'on s'y intéresse davantage.

— Est-ce que je peux savoir ce que vous faites là? demanda une voix derrière eux.

Les sept amis sursautèrent et Meg le ressentit jusque dans ses côtes. Donovan se trouvait là, dans l'embrasure, et les regardait sévèrement.

— Vous devriez pas être en classe, vous?

Joël devint subitement très nerveux et bafouilla une réponse en malambou[7]:

— Ooooooeee. Yavèèèè… dev-aaeee, aaaaaaem…

— Vous allez venir avec moi. Tout de suite, annonça le professeur.

Jade enfonça vivement le dessin du tatouage dans son sac et suivit le reste de ses amis vers le

---

7. Le malambou est une langue peu répandue, parlée uniquement par les gens qui sont vraiment dans le trouble. On utilise notamment le malambou pour faire semblant qu'on va dire quelque chose, en espérant très fort que quelqu'un nous coupe la parole et change de sujet. (NDA)

bureau de Donovan. Celui-ci referma la porte derrière eux et, pendant un instant, Zach se sentit pris comme dans un piège à ours. Alors que l'enseignant ne regardait pas dans sa direction, Joël donna un coup de coude à son ami aux grosses oreilles et pointa du menton un coin de la pièce.

Les boîtes à Euge!!!

— Qu'est-ce que vous faites avec ça? demanda Zachari sans pouvoir se retenir.

— Je les ai ramassées parce que ça traînait, répondit le prof. Et de toute façon, c'est pas à vous de poser des questions, mais à moi! Donc… Qu'est-ce que vous faisiez dans le local du concierge?

— On faisait rien de mal, l'assura Alice.

— OK. Mais QU'EST-CE que vous faisiez? Qu'est-ce que vous cherchiez, en fait? Parce que de mon point de vue, vous étiez clairement en train de chercher quelque chose.

Que faire? Impossible de répondre la vérité. Et d'un autre côté, aucune raison ne pouvait justifier leur présence dans la conciergerie. Particulièrement pendant un cours, et encore moins alors que des banderoles de police en interdisaient l'accès. Joël arrivait difficilement à contenir son angoisse. Il suait à grosses gouttes, tout en remuant sans arrêt.

— J'cherchais mon MP3, lança Meg, sans la moindre trace de nervosité qui aurait pu trahir son mensonge. Y me l'avait confisqué, pis vu qu'y pourra pas me le redonner, j'voulais le reprendre.

Quelle bonne idée! Ressortir cette vieille histoire pour leur sauver la vie! Zach lui jeta un petit regard à la dérobée, qui traduisait tous les mercis qu'il ne pouvait lui dire de vive voix. Cette fille était un génie. Elle trouvait toujours.

— Tu cherchais ton MP3 ?... Pendant un cours ?... Avec tes six amis ?... répéta Donovan en découpant bien sa phrase.

La minifille ne broncha pas, mais ne trouva rien à répondre non plus. Dit de cette façon, il fallait l'avouer, c'était peu crédible.

— Sais-tu ce que je pense, moi ? dit encore l'enseignant. J'pense que t'es rien qu'une menteuse. Et vu que personne n'a l'air de vouloir me dire ce que vous foutiez là-dedans, je vais devoir fouiller vos sacs.

— Quoi ?! s'opposa Émile. C'est quoi le rapport ?

— Le rapport, c'est que vous étiez à un endroit où vous aviez pas le droit d'être, à un moment où vous auriez pas dû. Encore chanceux que je vous emmène pas chez le directeur…

— Emmène-nous, ça dérange pas, le coupa Meg.

— Pas besoin. Mais je vais quand même fouiller vos sacs. Allez, donnez-les-moi.

Il tendit le bras vers Maggie, qui se trouvait juste à ses côtés. Celle-ci lui tendit son sac, un peu à contrecœur, mais sans vraiment s'inquiéter, puisqu'il ne contenait rien d'important ou de suspect. Donovan l'ouvrit et le renversa sur son bureau. Pendant qu'il farfouillait, Jade glissa subtilement sa main dans ses propres affaires, sortit le papier avec le dessin du tatouage et l'enfonça dans sa poche arrière. À tour de rôle, chacun dut se plier à la fouille. Lorsqu'il eut terminé, le prof remit le dernier sac à son propriétaire et dit :

— Très bien. Avant de partir, Jade, tu vas me donner le papier que tu as dans ta poche.

— Hein ? J'ai… J'ai pas de papier dans ma poche ! essaya-t-elle de lui faire croire.

— Une autre menteuse ! C'est parce que je t'ai vue le sortir de ton sac pour le mettre dans ta poche. Je suis peut-être plus vieux que vous autres, mais je ne suis pas épais pour autant. Donne, dépêche-toi.

La belle soupira avant d'abdiquer. Elle lança le papier sur le bureau et sortit sans se retourner, les yeux brûlants de larmes d'injustice, pendant que les autres sentaient un grand vide se former à l'intérieur de leur cage thoracique. Leur impuissance n'aurait pas été plus grande s'ils étaient tous tombés dans le vide, de dix mille pieds de hauteur, sans parachute. La cloche sonna au même moment et le corridor s'inonda de monde. Zach, Meg, Alice, Maggie, Joël et Émile sortirent également, déçus et humiliés.

— C'était LUI !!! cria Joël, une fois arrivé au casier de leur amie.

— De quoi, c'est lui ? demanda Maggie.

— C'est LUI, le gars qui parlait à (Eugène), tantôt ! expliqua-t-il en ne prononçant pas le nom de leur ami à voix haute, pour éviter que des oreilles indiscrètes l'entendent.

— Ben oui, c'était lui ! confirma Zach. C'est sûr ! Me semblait que sa voix me disait de quoi, aussi !

— Moi aussi, je trouvais que ça ressemblait à quelqu'un que je connaissais, quand on l'a entendu, lança Alice, timidement.

— C'est pour ÇA qu'y l'a jamais aimé! se rappela Zachari en repensant à l'attitude revêche de leur ami aux grosses lunettes face au professeur, au cours de ces deux dernières années.

— Hein? fit Maggie, peu certaine de bien saisir. De quoi tu parles?

— Euge, y a jamais aimé le prof de géo! Dans le cours, y me le disait tout le temps! Pis t'sais quand on les a entendus, tantôt, Donovan y a dit: « Ça fait vingt ans que je te cherche »… Ben, c'est parce qu'y se connaissaient *avant*! Pis (Eugène) y l'avait reconnu au premier cours, mais pas Donovan! À cause de la formule, pis du rajeunissement!

— OH NON!!! s'énerva Jade. Ça veut dire qu'y s'en foutait qu'on soit dans le local du concierge! Tout ce qu'y voulait, c'était l'indice!

— Ben… *DUH!* fit Meg.

— Oui, mais là, *j'y ai donné*!!!

— Pis y le savait que c'était ça qu'on cherchait, parce qu'il LE SAIT que c'était NOUS dans la cachette secrète, parce que Daniel, ben c'est à LUI qu'y l'a dit, qu'y nous avait vus par la caméra!

— Oui mais attendez, articula Meg. Lui, y le sait pas que NOUS AUTRES on le sait.

— OK, j'suis perdu, là, avoua Joël. Qui qui sait que nous autres on sait pas qu'y sait quoi?

Meg soupira, impatiente. Cette journée était vachement compliquée. Et son visage lui faisait mal.

— Donovan, y sait que nous autres on était dans la cachette, résuma-t-elle.

— OK…

— Y sait qu'on a trouvé (Eugène).

— OK.

— Y sait qu'on cherchait la formule dans le bureau du concierge.

— … OK…

— Mais y sait pas que nous autres on le sait qu'y le sait.

— … Hein?

— Y PENSE QU'ON LE SAIT PAS QUE LUI AUSSI Y CHERCHE LA formule.

— Ahhhhhhhhhhhhhhhhhhh!!!

— Tu comprends-tu, là?

— Ben oui : y l'sait pas qu'on l'sait qu'y l'sait! Pourquoi tu l'as pas dit de même au début?

Pendant un instant, Meg voulut ouvrir le crâne de Joël et lui faire manger son propre cerveau.

— Mais là, qu'est-ce qu'on fait? demanda Émile.

— Ben, c'pas compliqué, fit Zach. Faut qu'on trouve la formule avant lui.

CHAPITRE 7

UN SYMBOLE, QU'ON DIT...

Le calme régnait dans l'autobus, durant le retour à la maison. Les adolescents parlaient à voix basse. D'autres dormaient sur leur banc. Tant d'émotions en seulement vingt-quatre heures! Meg regardait par la fenêtre, contrariée. Son père n'était toujours pas sorti de son bureau, au moment de quitter l'école. On avait vu des hommes et des femmes y entrer. Tous étaient vêtus de vestons foncés.

— Pourquoi y avait plein de monde dans le bureau à ton père? demanda Zach à son amie, comme s'il avait lu dans ses pensées.

— Je l'sais-tu, moi..., répondit cette dernière.

Dès qu'il entendit tourner la poignée de porte, Dominic accourut avec son entrain naturel. En apercevant le visage enflé et plein de bleus de sa sœur, il recula d'un pas, apeuré. Il fallut quelques secondes pour le rassurer et le convaincre que tout irait bien. Durant toute l'heure qui suivit, l'enfant répéta de sa petite voix lunatique: « Tout vaaa bien. » Meg et Zachari discutèrent longtemps du tatouage, en essayant de comprendre de quoi il s'agissait. Le souper arriva enfin, mais Jacques n'était toujours pas de retour. Meg sortit donc quelques casseroles et leur prépara un repas, qu'ils avalèrent tous les trois devant une émission de télé. L'heure avança encore et, soudain, vint le temps de faire les devoirs, puis enfin, il fallut commencer à se préparer pour la nuit.

— J'vais aller coucher mon frère, annonça la minifille à la fin de la soirée.

— OK. Moi je vais aller sur Internet, voir si je trouverais pas de quoi…

— OK.

Zach lança le programme de recherche et tapa le mot « triangles ». Des milliers de pages s'affichèrent, indiquant la définition du mot cherché ; les sortes de triangles ; comment calculer leur superficie ; jusqu'au nom d'un bar portant le nom « Triangle ». À un certain moment, Zach eut l'éclair de génie de regarder plutôt du côté des images.

— Pis ? demanda son amie en s'installant finalement à côté de lui.

— Rien.

— Essaye donc « quatre triangles ».

Ce qu'il fit. Rien de plus précis ne s'afficha. Cette fois, il y avait même des photos de nourriture, de plantes, de vêtements…

— « Triangles avec une barre », peut-être ?

— Bonne idée.

Beaucoup d'images de pièces de voiture apparurent à l'écran. Ça ne voulait rien dire pour eux. Le concierge ne possédait pas de voiture. Inutile de chercher de ce côté.

— À moins qu'y l'ait caché dans celle de mon père? proposa Meg.

— Peut-être… Mais en même temps, c'est pas un peu dangereux? Si ton père pognerait un accident, mettons…

— LES SI MANGENT LES RAIS, ZED!!! Si mon père «pogNAIT» un accident!!! Continue.

— … Pis que son auto pognait en feu… La carte se perdrait. D'après moi, c'est caché dans l'école. Dans une place où le feu peut pas la détruire. Pis de toute façon, en la cachant dans l'école, même si le feu pogn… AIT, y a toujours quelqu'un qui pourrait aller la chercher avant de sortir…

— Ouain.

Les termes «triangles avec une ligne» et «triangles un par-dessus l'autre» ne donnèrent rien de mieux.

— T'sais quand on regardait les avertissements sur les bouteilles de produits, là…

— Hmm…

— Comment ça s'appelle, ça?

— Euh… Des AVERTISSEMENTS?!… répondit son amie, cynique.

— Non, j'veux dire comment on appelle ça, les dessins qui donnent des avertissements?

— De QUOI tu parles?

— Ben t'sais, mettons quand je veux faire *peace* avec mes doigts… C'est le signe de la paix, c'est ça, hein?

— Ouais, mais c'est quoi le rapport?

— Y a un autre mot pour «signe»… Un euh… Merde, t'as pas un dictionnaire des synonymes?

— J'pense que oui…

Elle alla dans le bureau de son père et trouva le livre demandé. Zachari s'empressa de chercher « signe ». Une longue colonne de mots s'étalait sur la page et tout en bas, presque à la fin, il trouva ce qu'il cherchait :

— AH ! « Symbole » ! C'est ça !

— C'est quoi le rapport avec le signe de *peace* ?

— C'est le symbole de la paix !

— Ah. Mais c'est quoi le rapport avec les triangles ?

— C'est peut-être le symbole de quelque chose !

Il écrivit « triangles + symboles » dans la barre de recherche. Encore une fois, on pouvait voir des milliers de dessins et des photos de toutes sortes. À la deuxième page des résultats, une image attira leur attention : un triangle traversé d'une barre, sous lequel on pouvait lire « *THIS IS WAR* ». La ligne ne dépassait pas de chaque côté comme sur le tatouage, mais de tout ce qu'ils avaient vu jusqu'à maintenant, c'était décidément ce qui lui ressemblait le plus. Il cliqua dessus et une page s'afficha. Sur celle-ci, directement sous le dessin, on pouvait lire : « Nouveau symbole apparu sur l'album *This is war*. Il représente l'élément AIR. ».

— Tape donc « symboles + éléments », ordonna Meg, soudain animée.

Il obéit et là, devant leurs yeux stupéfaits, des dizaines de dessins représentaient *exactement* celui que Jade avait reproduit. Sous chacun des triangles, on pouvait lire : « Eau, Terre, Air, Feu ».

— Penses-tu que ça serait ça ? demanda Meg, interdite.

— Je l'sais pas, mais c'est la même-même affaire ! Ça peut pas être autre chose !

— Ben oui, mais ça se peut pas…

— Oui, ça se peut. Penses-y… Dans l'école, on a de l'eau : la piscine !

— Y a de la terre dans les pots de plantes…

— De l'air par exemple, y en a partout, ça c'est plus compliqué.

— Pis du feu ? Y a pas de feu dans l'école !

— Non, mais y a des extincteurs, c'est peut-être ça.

— Faut le dire aux autres !

— J'vais leur envoyer un message sur le site.

Ils y pensèrent toute la soirée. Il faisait très noir lorsque Meg demanda :

— Y est quelle heure ?

— Yish ! Dix heures ! Pis ton père est même pas encore revenu !

— Je l'sais. J'vais aller prendre ma douche.

— Les douches ! On a des douches dans les vestiaires. Ça aussi, c'est de l'eau !

— Ouain… Pis y a les abreuvoirs, les toilettes…

— Les gicleurs ? Ouf, y en a vraiment beaucoup.

— Ouain, ben va falloir se grouiller parce que c'est sûr que Donovan y le sait, que c'est des symboles, les tattoos : y sait toutte.

Sur ce, elle s'en alla vers la salle de bains. Zach se dirigea vers sa chambre et commença à se changer. Effectivement, il fallait faire vite. Leur adversaire en était un de taille. Cette histoire prenait des proportions gigantesques. Linda lui dirait sûrement d'en parler avec le principal concerné plutôt que de s'enfoncer dans toutes sortes d'hypothèses non fondées. Mais c'était impossible. D'un côté, parce qu'ils avaient un atout caché dans leur manche depuis que Meg avait soulevé le fait que Donovan ignorait que leur groupe était au courant que lui aussi cherchait la formule. D'un autre côté, s'ils se trompaient véritablement sur son cas (ce qui représentait deux pour cent des risques selon les circonstances[8]) et que l'enseignant n'avait rien à voir avec Eugène ou sa formule… après l'avoir accusé à tort, la seule solution serait de tout lui dévoiler pour qu'il comprenne la raison de leurs accusations. Et les sept amis avaient promis de ne jamais faire une telle chose. De toute façon, tout ça était devenu carrément dangereux. On ne peut pas essayer de discuter avec un homme irrité et avide de pouvoir. La seule solution était de trouver la formule et de la détruire, comme le leur avait demandé Eugène.

Les deux amis s'endormirent tard ce soir-là, chacun perdu dans ses pensées. Jacques

---

8. Soit un pour cent de moins que la quantité totale d'eau potable sur la terre… (NDA)

Létourneau rentra bien plus tard, triste et furieux. Personne ne l'entendit déposer quelques boîtes dans sa pièce de travail.

CHAPITRE 8

QUAND LE CIEL NOUS TOMBE SUR LA TÊTE

Lorsque le réveil sonna le lendemain, Meg eut beaucoup de difficulté à ouvrir les yeux. On aurait dit que quelqu'un était venu mettre de la farine dedans pendant la nuit, de sorte que ses paupières restaient collées sur sa cornée. Ses flancs lui faisaient mal. Toute la nuit, en se retournant, elle avait ressenti de la douleur à la hauteur des côtes. Sans parler de son visage. Même son oreiller était trop rugueux pour ses plaies. Elle avait l'impression de dormir appuyée contre de la roche. Dans la chambre d'amis, Dominic alignait déjà des blocs sur le plancher à côté du lit, comme il avait pris l'habitude de le faire tous les matins depuis que Zachari campait chez eux. Jacques n'était nulle part.

— Coudon, y est-tu venu coucher? demanda l'adolescent.

— Oui, y a une tasse de café dans le lavabo.

L'autobus les cueillit à la même heure que d'habitude. Jessie-Ann, assise tout au fond, éclata d'un rire sournois en voyant la mini-fille descendre l'allée, le visage complètement tuméfié[9]. La grande se leva et vint s'asseoir tout près des deux amis.

— Pis ? C'est long avant que ça repousse, hein, des cheveux ?

Meg ne répondit pas.

— C'est quoi ? Ta langue est-tu enflée, elle avec ? Tu peux pus parler ? Ou c'est parce que t'as peur ?

Zachari vit son amie serrer les dents. Sa mâchoire se contractait comme si elle retenait toutes les méchancetés du monde dans sa bouche. Une veine commençait à gonfler sur son front.

— Qu'est-ce qu'y a, la gothique ? T'es choquée ?

« La gothique » demeura silencieuse, même si dans sa tête, les nuages les plus foncés crachaient leur rage en gros tonnerres tonitruants. Zachari se fit la réflexion que son amie avait beaucoup changé. Il y a deux ans à peine, elle aurait sauté par-dessus le siège pour crever les yeux de Jessie-Ann. Cette dernière éclata d'un rire malicieux et retourna rejoindre ses suiveuses à sa place habituelle, en se délectant de sa victoire. Tout le reste du trajet, elles s'amusèrent à crier des phrases du genre : « Heille, t'as quelque chose dans face !!! » ; ou « La gothique est tellement gothique que même

---

9. « Tuméfié », c'est un grand mot qui veut dire « plein de bleus et enflé ». J'aurais pu écrire directement « plein de bleus et enflé », mais je trouvais ça vraiment long… P-L-E-I-N-D-E-B-L-E-U-S-E-T-E-N-F-L-É, c'est quand même dix-neuf lettres. J'ai pas le temps, moi, d'écrire des phrases de dix-neuf lettres ! J'ai un roman à écrire ! (NDA)

ses yeux sont au beurre *noir*! » Si bien qu'après un certain temps, ce fut Zach qui perdit patience et lança :

— OK, arrêtez donc, là, vous voyez ben que vous parlez dans le vide !

— Ah beeen !!! réagit immédiatement la grande rousse. Zizi qui s'en mêle ! « Arrêtez d'écœurer ma blonde, sinon j'vais pleurer ! » Ha, ha, ha !

Décidément, ça commençait très mal. Ils arrivèrent enfin à l'école, où une autre surprise de taille les attendait. Un peu avant la fin du premier cours, l'interphone se mit en marche et la voix brisée de leur directeur résonna dans toutes les classes :

— Un moment d'attention, s'il vous plaît... Ici Jacques Létourneau. J'espère que vous allez bien. Hier a été une journée bien difficile pour l'école Chemin-Joseph. Le décès de notre concierge, M. Jim Smith, en a secoué plus d'un, moi le premier. Si vous avez de la peine, ou si vous ressentez des émotions que vous vivez difficilement, n'hésitez surtout pas à aller voir le psychologue, qui se fera un plaisir de vous recevoir et de prendre le temps de vous écouter. Les professeurs aussi sont là pour vous, si le besoin se fait sentir. Dans un autre ordre d'idées, ce message est aussi pour vous annoncer que dès cet après-midi, pour des raisons professionnelles, je me vois dans l'obligation de quitter mon poste de directeur...

Il marqua une pause, durant laquelle la consternation s'éleva partout dans l'école, en un bruyant brouhaha[10] pratiquement incontrôlable. Personne n'arrivait à croire que comme ça, du jour au lendemain, le directeur des vingt dernières années puisse démissionner.

— Hein?! s'écria Jade en regardant Meg.

La minifille paraissait aussi ahurie que tout le monde. Elle qui n'avait pratiquement jamais d'émotion visible ouvrait de grands yeux surpris en regardant l'interphone, comme si ce dernier pouvait éclater de rire en disant qu'il s'agissait d'une blague… Ce qui, évidemment, n'arriva pas.

Puis Jacques continua son discours:

— Ce fut un plaisir de travailler parmi vous. Je garderai un excellent souvenir de tous les élèves et des enseignants qui sont passés par ici. À partir de maintenant, je serai remplacé par un ancien professeur, que certains d'entre vous connaissez, pour avoir eu la chance de recevoir ses enseignements en arts plastiques: M. Daniel Provencher.

— **QUOU-OI**?! explosa Zachari.

— … Je vous souhaite une excellente fin de journée, ainsi qu'une excellente fin d'année scolaire.

---

10.   Selon le *Petit Robert* (le Grand était au téléphone, j'ai pas pu y demander), un brouhaha, c'est *toujours* bruyant, puisque par définition, un brouhaha, c'est un «bruit de voix confus et tumultueux émanant d'une foule»… SAUF QUE… Si mettons c'était une foule de gens muets, hein?! Ça serait beaucoup moins bruyant!! OOOHH!!! DANS TA FACE, le *Petit Robert*! J'ai LE DROIT d'écrire que c'était un brouhaha bruyant! Pis en plus, ça fait plein de BR d'un coup! C'est le fun à dire «bruyant brouhaha»… Bruyant-brouhaha-bruyant-brouhaha-bruyant-brouhaha-bruyant-brouhaha-bruyant-brouhaha… (NDA)

CHAPITRE 9

QUAND LE CHAT SORT DU SAC... LES SOURIS NE DANSENT PAS.

Il n'avait pas pu s'empêcher de crier à pleins poumons. Cette nouvelle arrivait comme une bombe et la menace n'était pas moins grande que si un véritable explosif avait été planté au beau milieu de l'école. Daniel avait séquestré des élèves, l'année précédente, pour en faire une « œuvre d'art »... Et sans l'intervention des sept amis, on ignore ce que seraient devenus ces pauvres adolescents. Eugène disait vrai dans sa lettre. Le monde tel qu'on le connaissait venait de changer. Pour le pire.

— Avez-vous entendu ça ? ! fit Joël, pendant la pause, en arrivant près du casier de Jade.

— TOUTE l'école a entendu ! répondit Maggie. Mais ç'a pas d'allure ! C'est quoi qui est arrivé ? Ça peut pas juste être à cause que le concierge y est mort, c'est même pas de sa faute à ton père, Meg !

— Je l'sais pas, mais on a un gros problème ! annonça Zachari.

— Comment ça ? demanda Émile.

— Ben LÀ ! C'est DANIEL qui va le remplacer !

65

— C'est quand même moins pire que si c'était quelqu'un qu'on connaît pas, fit Alice en essayant de voir le bon côté des choses.

C'est à cet instant que Zach se rappela un détail crucial : seuls la minifille et lui se souvenaient de l'épisode du kidnapping. Les autres ne se rappelaient rien, à cause de la drogue que le prof les avait forcés à prendre ce jour-là. Les deux amis s'étaient promis de ne jamais revenir sur le passé et de garder ces détails secrets, par mesure de précaution. Aujourd'hui, ils n'auraient pas le choix de tout leur dire. Zachari soupira de malaise et alla chercher du réconfort dans l'œil de son amie aux cheveux mauves. Celle-ci, bien entendu, ne broncha pas et le dévisagea en le laissant faire. Il commença donc :

— Vous souvenez-vous, l'année passée, quand y a des élèves qui ont disparu ?

C'est ainsi qu'il leur raconta leur propre histoire : comment ils avaient trouvé la cachette secrète et les disparus de l'école grâce à la stratégie de toujours laisser savoir aux autres où on allait, peu importe la façon ; comment Daniel avait débarqué pendant l'opération de sauvetage en les surprenant tous ; comment lui et Meg avaient réussi à les sortir de là, avec l'aide d'Éric, le prof d'éthique et culture, qui était arrivé en renfort.

— Hein ?! fit Jade, incrédule. Mais comment ça se fait qu'on s'en souvient pas, nous autres ?

Ce fut au tour de Meg d'expliquer la réaction créée par la substance chimique contenue dans les somnifères.

— … Vous vous souveniez de rien quand vous vous êtes réveillés.

— Pis vous nous l'avez pas dit ? ! s'offusqua Émile.

— Non. On a pensé que moins on était à s'en souvenir, moins ça serait compliqué, si y avait une enquête ou de quoi. Y avait moins de risques qu'on se contredise pis toute. C'est pour ça qu'on a fait semblant que nous autres avec on venait juste de se réveiller.

— Mais c'est chien, vous auriez pu nous le dire après !

— Pis pas juste ça : vous l'avez *laissé partir ? !* souligna Maggie. Le gars y vient de kidnapper des élèves, de leur donner de la drogue…

— Des somnifères, précisa Zachari.

— C'est de la drogue quand même ! Pis vous autres, vous le *laissez partir ? !* Coudon, y aurait-tu fallu qu'y nous tue pour que vous appeliez la police ? !

— En fait, si y nous avait tués, on n'aurait pu appeler personne, à cause qu'on aurait été morts…, glissa Joël, rapidement.

— R'gardez, là ! le coupa Meg. On a fait ce qu'on pensait qui était le mieux pour tout le monde ! On s'est peut-être trompés, mais là j'pense qu'on a des choses plus importantes à régler que ça !

— Ouain ben, on n'en parlerait pas si vous aviez pas… J'peux pas croire ! Pis Éric, y vous a laissés faire ? !

Zach se porta à la défense de son amie :

— On voulait y montrer c'était quoi le pardon, à Daniel! Parce que lui aussi y était fâché à cause d'Anastasia, pis du bébé, pis toute! Pis c'était de notre faute! Si le monde pardonnait un peu plus dans vie, peut-être qu'y aurait pas autant de crimes pis de méchanceté, bon! De toute façon, là on a un plus gros problème s'es épaules!

— Ouain ben là, j'pense que c'est rendu VOTRE problème! s'indigna Émile, furieux. Sérieux! Arrangez-vous tout seuls, de toute façon, vous avez pas besoin de nous autres ç'a l'air!

Sur ces paroles, il quitta le groupe. La cloche sonna sur ces entrefaites. Maggie jeta un dernier regard à Meg et à Zach, puis s'en alla également, sans ajouter quoi que ce soit. Sur son visage, on pouvait lire de la tristesse mêlée de contrariété.

— Maggie, attends! l'appela Alice.

La fille timide s'élança en direction de son amie pour la suivre. Joël hocha la tête de droite à gauche en regardant le plancher et finit par s'éloigner lui aussi, après avoir donné un coup de pied à une poussière imaginaire.

Meg se tourna vers Jade, qui semblait ne pas trop savoir comment réagir.

— Aaaaah, j'aime PAS ÇA la chicane! Mais en même temps, c'est vrai que c'est PAS COOL c'que vous avez fait! Faut que j'aille à mon cours, là. On se reparle.

Elle s'éloigna à son tour. Tout allait de plus en plus mal. Le secret d'Eugène percé; un nouveau directeur malveillant; un prof sur les traces de la formule et, comme si ce n'était pas assez, leurs amis étaient désormais furieux et les abandonnaient.

— C'est pas ça que je voulais, moi, laissa tomber Zachari.

— Tant pis pour eux. C'est eux autres qui sont caves.

Sa voix manquait de conviction. Elle aussi se sentait mal. Ce qui semblait assez nouveau, dans le caractère de la minifille.

— Faut qu'on parle à Éric, déclara-t-elle soudain en jouant avec une mèche de cheveux qui n'avait pas été coupée.

Pas une seconde à perdre. La cloche allait sonner, mais ce moment était trop crucial pour attendre. Il fallait agir maintenant. Daniel ne pouvait tout simplement pas devenir directeur de l'école. C'était un fou. Irresponsable et dangereux. Et par-dessus tout : il était allié avec Donovan, encore plus fou et plus dangereux. Mais à eux seuls, Meg et Zachari ne pouvaient rien faire. Personne ne les écouterait. Et si quelqu'un les écoutait, personne ne les croirait. Les adultes ne croient jamais les adolescents.

— En plus, déclara Zach pendant qu'ils marchaient, tout le monde vont penser que tu veux qu'y reste juste à cause que c'est ton père.

— Tout le monde *VA*, Zed ! Combien de fois va falloir que je te le dise, que « le monde », c'est SINGULIER ?! J't'à veille de te le graver dans le front avec un X-Acto !

Décidément, aucune situation ne l'empêcherait de le reprendre.

Genre qu'on serait en train de se faire man-
ger par des tigres pis a me dirait : « le monde,
c'est SINGULIER Zed ! ! ! T'attends-tu que...
Aaaaargh ! ! ! Blblb blblb... ».

Après une pause destinée à laisser le message
s'imprimer dans la tête de son ami, elle ajouta
quand même :

— Mais t'as raison...

Effectivement, leur pouvoir de persuasion
était bien mince. S'ils avouaient au monde que
Daniel était le kidnappeur de l'an dernier, personne ne les croirait. Parce qu'ils avaient fait
croire à qui voulait l'entendre qu'ils ne se souvenaient de rien. Mais Éric pouvait peut-être les
aider. Il *devait* les aider.

CHAPITRE 10

LE MAL EN PERSONNE

Le professeur d'éthique et culture ne donnait pas de cours à cette période. Il se trouvait dans son bureau et avait l'air contrarié. Les deux amis arrivèrent essoufflés. Éric n'eut même pas besoin qu'on lui explique le but de la visite. Il devinait très bien ce que ses visiteurs voulaient.

— Je peux rien faire ! s'écria-t-il d'emblée en lançant une pile de cahiers sur son bureau avec rage.

Dans la matinée, avant même que l'annonce ne soit faite dans toute l'école, Éric avait trouvé une enveloppe au pied de sa porte. Dans celle-ci, on lui annonçait son congédiement, en vigueur à l'instant. Autrement dit, on lui laissait le temps de ramasser ses affaires, et immédiatement après, il devait quitter l'école.

— Je sais pas comment c'est arrivé, mais y a quelque chose de pas net dans cette histoire-là ! Voyons donc, Daniel est parti depuis un an ! On l'a jamais revu et, tout à coup, on le nomme directeur ?! Et il le savait que j'essayerais d'empêcher ça, c'est pour ça qu'il m'a congédié ! Maintenant, peu importe ce que je dis, ça va passer pour une vengeance personnelle, sous prétexte que je suis fâché d'avoir été congédié! Je suis totalement impuissant!

— Mais y a pas le droit de te virer sans raison!

— Je le sais, mais le temps que je me batte pour régler ça, l'année va être finie! Et ça, c'est si je gagne! Rat comme il est, il a sûrement tout arrangé pour que je puisse pas revenir contre lui! Je le savais, aussi, que ce gars-là était croche; je sais pas ce qui m'a pris d'embarquer dans votre histoire de pardon!… Maudit que j'ai été niaiseux!

Meg et Zach étaient anéantis. Leur seul espoir venait de s'évanouir. Ils ne pourraient rien empêcher. Ils sortirent du petit local silencieusement, l'estomac noué d'angoisse et de frustration. Une véritable course contre la montre venait de commencer. Ils devaient trouver les indices le plus rapidement possible pour mettre la main sur la formule d'Eugène… Avant Donovan. Daniel allait assurément leur mettre des bâtons dans les roues, puisque lui et le prof de géo semblaient s'être liés dans cette terrible quête. Et avec leurs cinq amis qui venaient de jeter l'éponge, ça n'augurait rien de bon.

— Ça va vraiment mal! laissa tomber Zachari.

— Heille…

— Quoi?

— Faut qu'on aille vider la chambre à Euge.

— Quoi?

— Ses affaires! Faut qu'on les sorte de là avant que quelqu'un décide de fouiller dedans! Si ça se trouve, y a peut-être des papiers importants, des inventions qui pourraient être dangereuses… L'aspireau !

— Non, c'est bon, ça, je l'ai ramassé.

— OK. Mais faut quand même y aller. LÀ ! Avant que l'autre décide d'y aller, pis qu'y trouve des affaires qu'y faudrait pas.

— T'as raison. Mais on a un cours ! Qu'est-ce qu'on fait ?

— On s'en fout du cours ! T'aimes-tu mieux que toute foire à cause d'un maudit cours ? Voyons ! Toi pis Maggie, y a quelque chose que vous comprenez pas, on dirait !

— Ben non, je l'sais, j'disais ça d'même…

La chambre était dans le même état que la fois précédente. Ce qui voulait dire que personne n'y était venu entre-temps. Meg ramassa la grosse pile de papiers qui traînait près de la table et la fourra dans son sac. Pendant ce temps, Zach raflait divers objets tombés de l'étagère et les déposait dans un petit sac de tissu. Il y en avait de toutes les formes et de toutes les couleurs. Certains étaient impossibles à identifier.

— *Check* ça, alerta la minifille au bout d'un moment.

Elle tenait dans ses mains une feuille sur laquelle on pouvait voir un dessin très compliqué. On aurait dit une machine. Tout autour, des gribouillis, pour la plupart incompréhensibles.

— C'est le genre de chose qu'on veut pas qui tombe dans les mains à Donovan, ça, observa le garçon.

— Ça m'étonnerait même pas que ça soit quelque chose, genre, qui rend le monde invisible pour toujours. Sérieux, c'est quoi son problème, d'inventer des affaires super dangereuses?

— Ben là... J'imagine que c'est grâce à des personnes comme lui que le monde évolue... t'sais, si les scientifiques existaient pas, on n'aurait peut-être même pas le téléphone.

— Ouain, mais on n'aurait pas la bombe nucléaire, non plus. Être super intelligent, c'est pas nécessairement une bonne chose.

Zach préféra se taire. Cette conversation était beaucoup trop compliquée et philosophique pour lui. Et son amie avait sûrement raison... Comme d'habitude.

Ils continuèrent en silence à ramasser tout ce qui pouvait être important ou confidentiel. Leurs sacs se remplissaient rapidement et il restait encore beaucoup de matériel dans la pièce.

— On va aller porter ça dans nos cases, déclara Meg.

Ils refermaient tout juste leur cadenas quand une voix les surprit:

— Ah ben, ah ben! Justement les deux que je cherchais!

Daniel se trouvait derrière eux, les mains sur les hanches. Son visage avait vieilli depuis la dernière fois, et pourtant, un an à peine avait passé depuis l'épisode des enlèvements.

— Quand j'ai vu que vous étiez absents de votre cours, j'étais certain que vous traîniez dans les corridors en train de faire… En train de faire quoi au juste ?

Zachari comptait sur sa complice pour trouver une réponse, mais cette dernière resta muette. Elle fixait le nouveau directeur sans sourciller, un air de défi dans les yeux.

— Pas de réponse, conclut l'adulte. Mais peut-être que vous êtes gênés de parler dans le corridor ? Venez avec moi, on va aller discuter dans mon bureau. De toute façon, mes papiers de convocation en retenue sont là.

La bonne nouvelle, c'est qu'il ne leur avait pas demandé d'ouvrir leur casier.

Des tas de boîtes jonchaient encore le sol du grand bureau. Jacques n'avait pas terminé de tout emporter, ce qui n'empêchait pas son successeur de s'installer. Daniel avait même commencé à transformer complètement l'endroit : la moitié du tapis s'amoncelait en lambeaux arrachés, et des tuiles de céramique attendaient qu'on les installe, près de la porte.

— Asseyez-vous, soyez pas gênés, les invita l'homme en pointant une chaise chargée de documents.

Les deux adolescents comprirent le sarcasme et ne bougèrent pas.

— Donc. Dites-moi. Qu'est-ce que vous faisiez dans le corridor ? redemanda Daniel.

— On avait oublié notre cahier pour le cours, mentit Meg.

— Vous avez tous les deux oublié de prendre un cahier… Drôle d'adon.

— Ouais, c'est bizarre, répondit Zach, le plus innocemment possible, en rougissant des oreilles.

Son amie tourna vers lui des yeux menaçants. Il entendit très clairement le «ferme-la» autoritaire qu'elle lui criait silencieusement.

— Savez-vous ce que je pense, moi? Je pense que vous étiez en train de vous mêler de ce qui vous regarde pas, comme d'habitude.

— Comment ça se fait que t'as pris la place à mon père?

— Ha, ha! Ça fait pas ton affaire, hein?! Hé, hé, hé, hé, hé!

— On va le dire, ce que t'as fait, le défia Meg, audacieuse sous ses cheveux mal coupés.

Elle espérait lui faire peur, mais l'ancien professeur d'arts plastiques ne mordit pas à l'hameçon. Au contraire, il sembla même bomber le torse de fierté.

— Bonne chance! Ha, ha! Personne va vous croire! Vous avez dit à tout le monde que vous ne vous souveniez plus de rien. Si vous revenez sur vos paroles aujourd'hui, vous allez juste avoir l'air de deux p'tits menteurs… Ce que vous êtes déjà de toute façon. Là, je sais ce que vous pensez: «Éric pourrait peut-être nous aider!» Mais NON! Parce que…

— On le sait, c'est beau.

— Avouez que j'ai été rapide! Avant même qu'il puisse dire un mot: VIRÉ! Comme ça, tout ce qu'y pourrait dire passerait pour…

— ON A DIT QU'ON LE SAVAIT!

— Oh… Faites pas cet air-là, quand même ! Quoi ?… Vous êtes pas contents que je sois là ? Vous êtes encore fâchés parce que j'ai failli transformer vos p'tits amis en sculpture ? Qu'est-ce qui s'est passé avec vos belles paroles sur le pardon ? Hein ? Ha, ha, ha ! C'est ça que ça donne, le pardon ! Souvenez-vous-en !

Son visage devint soudainement très sérieux. Une lueur de démence éclairait ses traits déformés par le temps.

— J'ai tout perdu à cause de vous. Ma femme, mon bébé, mon travail… J'ai même été obligé de vendre ma maison. Préparez-vous, parce que j'ai pas fini de vous le faire payer. Je vous ai à l'œil. Et j'ai pas l'intention de vous lâcher.

Sur ce, il leur tendit chacun un papier de retenue.

— Allez-vous-en.

CHAPITRE 11

LE COMMENT DU POURQUOI

La période, ou du moins ce qu'il en restait, fut longue et désagréable. Émile ignora Zach de toutes ses forces, avec la plus totale et la plus complète indifférence. Il refusait de lui adresser la parole. Même un simple regard semblait inimaginable. Lorsque Zachari tenta d'entrer en contact avec lui, l'adolescent changea de place, sans un mot. Maggie y alla d'une méthode plus subtile et concentra tous ses efforts sur le travail à faire. Ce qui ne changeait pas grand-chose à ses habitudes ordinaires. Quand la cloche sonna, les deux élèves se levèrent rapidement, ramassèrent leurs affaires et sortirent en vitesse.

Durant la pause, les choses ne s'améliorèrent pas. Jade ne se pointa pas à son casier. Personne ne vint, en fait. Au bout de plusieurs minutes d'attente, Meg s'énerva :

— Viens-t'en, on sacre notre camp.

La dernière période ne se passa pas mieux. Fred annonça qu'ils allaient travailler en équipes de deux. Jade et Joël se placèrent automatiquement ensemble. Étant donné le nombre impair d'élèves dans la classe de sciences, le prof permettait toujours à une équipe de se choisir un troisième partenaire. Normalement, Zachari rejoignait ses amis et le problème s'en trouvait réglé, mais pour l'heure, ni l'un ni l'autre ne regardaient dans sa direction.

— Monsieur Zed, qu'est-ce qui se passe? demanda l'enseignant.

— Ben… J'aimerais mieux travailler tout seul aujourd'hui, est-ce que je peux?

— Euh… Oui, si tu veux.

Le travail portait sur la réaction des produits chimiques. En gros, on explorait les différentes façons de faire fondre de la glace, et il fallait expliquer pourquoi certains éléments étaient plus efficaces que d'autres. L'urée par exemple, un mélange composé d'azote, n'a aucun effet sur la glace lorsqu'il fait plus froid que -4 degrés Celsius; tandis que le sel gemme, lui, en grande partie fait de chlorure de sodium, peut dissoudre la glace même s'il fait -15 degrés Celsius. L'explication des raisons pour lesquelles l'un était plus efficace que l'autre semblait bien compliquée, et Zach pensa que Jade aurait sûrement réussi à lui résumer tout ça de façon claire et amusante. Parce que Jade arrivait toujours à trouver une façon d'expliquer les choses, en inventant des histoires ou des images qui faisaient en sorte que tout devenait précis et facile.

Le cours se termina enfin, sans que Zachari ait réussi à terminer le travail. Un devoir de plus s'ajoutait dans son agenda. Il ferma son sac en soupirant et se rendit à son casier, où Meg l'attendait.

— Oublie pas les affaires à Euge, lui rappela-t-elle. Grouille.

Jessie-Ann profita une fois de plus du trajet en autobus pour se moquer des deux amis en leur lançant toutes sortes d'injures et de platitudes. Les deux cibles ne se sentaient même plus la force de réagir. Ils la laissèrent crier tout ce qu'elle voulait sans se défendre. L'un comme l'autre préférait s'enfermer dans sa tête pour réfléchir à cette journée chiante et aux façons de régler les problèmes qui ne cessaient de s'accumuler. Malgré le printemps qui s'installait franchement, des frissons de fatigue couraient le long de leur échine, les faisant grelotter sous le soleil.

Jacques Létourneau faisait les quatre-vingt-dix-huit pas dans sa pièce de travail[11]. Meg cogna à sa porte et attendit qu'il lui permette d'entrer.

— Qu'est-ce qui s'est passé, papa?

— Salaud de Daniel de manipulateur de malhonnête de vieux rat de sale traître de mes deux! J'aurais jamais dû l'engager au départ! Je sais pas comment, mais y a découvert qu'on cachait quelqu'un dans l'école! Y m'a dit que si je démissionnais pas tout de suite pour lui donner ma place, il allait appeler les journaux, la police... Tout le monde, finalement!

— Pis Eugène, lui?

---

11. La pièce était trop petite pour qu'il puisse faire les cent pas. Y manquait deux pieds à cause de la maudite bibliothèque. C't'idée aussi, d'être instruit! (NDA)

— Je l'sais pas ! Je l'ai cherché partout et j'suis incapable de le trouver ! Avec Jim qui est mort, je sais pas quoi faire ! Je sais même pas est où sa formule pour la mettre en sécurité ! Je sais pas quoi faire pour LE mettre en sécurité ! Si ça se trouve, lui aussi, y est mort !

Il pensa soudain à un détail et sortit en parlant tout seul, laissant les deux amis un peu médusés derrière lui.

— On devrait-tu y dire, pour les indices ? demanda Zach.

Meg le tira par la main et l'entraîna dehors afin de pouvoir parler sans risquer de se faire entendre.

— Non, répondit-elle, une fois la porte refermée derrière eux.

— Mais là… Peut-être qu'y pourrait nous aider ! Pis en même temps, ça le rassurerait, tu penses pas ?

— Oui, mais c'est pas une bonne idée. Penses-y : mon père pis le concierge, c'étaient les deux seuls qui savaient qu'Armand Frappet se cachait dans l'école. Pis là, le concierge, y est mort. Qui c'est qui reste ?

— Ton père ?

— Justement. Si t'étais Donovan, pis que tu voulais savoir est où la formule, qui c'est que t'irais voir en premier ?

— Ton père.

— C'est ça. Parce que si Eugène a fait confiance à mon père, pis au concierge pendant vingt ans, ça serait juste normal qu'un des deux (ou les deux) sache est où, la formule.

— Ouain… Ben y en avait un des deux qui le savait, mais là…

— Mais là y est mort, pis y peut pus le dire. Pis si on donne des indices à mon père, ça va juste faciliter la tâche à l'autre gros con, parce qu'y doit le surveiller.

— Ouais, mais y nous surveille nous autres avec.

— Oui, mais j'pense pas qu'y sache qu'on cherche la formule nous autres aussi.

— Ben oui ; y nous a fait vider nos sacs !

— Oui, mais ça, c'était au cas où on l'aurait peut-être trouvée sans le savoir. On était dans le bureau du concierge, pis on fouillait partout ! Si ça se trouve, y a jeté le dessin de Jade après y avoir enlevé, à cause que c'était pas la formule.

— Tu penses ?

— Je l'sais pas ! Mais j'pense pas que c'est une bonne idée de le dire à mon père !

— Ouain, mais en même temps, la dernière fois que t'as décidé qu'on disait pas quelque chose à quelqu'un, ç'a donné que nos amis sont frustrés, astheure.

Le visage de Meg tomba de quelques millimètres, comme si tous les muscles qui le retenaient avaient cessé de fonctionner en même temps. Généralement, cette réaction était suivie d'une explosion de colère.

— J'te rappelle que t'étais d'accord, toi aussi ! Pis si t'étais capable de prendre des décisions tout seul, j'serais pas tout le temps obligée de le faire à ta place ! Fait que mets-moi pas ça su'l dos, c'tu clair ? !

Zach ne sut pas quoi répondre. C'était vrai.

— OK, on y dit pas, finit-il par acquiescer.

CHAPITRE 12

INQUIÉTUDE ET ANGOISSE

Jacques ne dormit pas de la nuit. Au matin, Meg et Zach le trouvèrent assis par terre devant son bureau, les yeux gonflés de fatigue. Il vidait tout juste sa dernière boîte. Vingt ans de documents accumulés traînaient sur le sol. De vieilles notes écrites à la main, des bulletins, des photos, des cahiers de toutes sortes, quelques livres, des crayons, des relevés, des calculs… Tant d'information accumulée au fil des ans, pour qu'aujourd'hui plus rien ne serve ! Les lèvres de l'ancien directeur remuaient sans que les mots ne sortent, comme s'il récitait une prière quelconque. Ses cheveux se faisaient la guerre au-dessus de sa tête, et à les regarder, on pouvait difficilement dire s'ils s'en sortiraient vivants. Dominic, assis à côté de lui, semblait avoir beaucoup de plaisir de son côté. Le garçon jurait dans le décor dépressif, comme une poignée de confettis dans de la boue.

— Pa', qu'est-ce tu fais ? demanda l'adolescente d'une voix encore endormie.

— C'est peut-être moi qui l'avais, la formule ? C'est peut-être moi qui l'avais dans mes affaires, peut-être qu'y me l'avait donnée et que c'est moi qui l'avais, j'ai dû la ranger quelque part et je m'en souviens plus, j'arrive pas à me rappeler...

Meg s'approcha lentement et posa une main sur l'épaule de son père. En s'agenouillant devant lui, elle dit doucement :

— Va te coucher, papa. Tu l'as pas, la formule. Eugène nous a dit qu'y l'avait cachée. Arrête de stresser avec ça, là... Euge, c't'un gars intelligent ; j'suis certaine qu'est en sécurité. Y l'aurait pas laissée à une place où n'importe qui peut la trouver.

— Mais LUI, Lulune ! Je sais pas y est où. Je sais pas si y est correct ! Je sais pas si...

— Papa, écoute-moi ! Y va être correct. C'est un adulte, y est capable de prendre soin de lui. Non ?

Les paupières de Jacques clignèrent à quelques reprises. De ses yeux, il balaya la pièce, comme s'il se réveillait d'un long cauchemar.

— Tu dois avoir raison. Ça fait tellement longtemps que je le vois dans son corps de p'tit garçon qu'on dirait que j'avais oublié son âge.

— C'est ça... T'as pas à t'en faire.

Zachari, témoin de la discussion depuis l'embrasure de la porte, ne pouvait s'empêcher de ressentir de la pitié pour le pauvre homme. Toute sa vie ou presque, sa plus grande tâche avait été de protéger un être humain et, du jour au lendemain, tout s'était évaporé autour de lui, sans qu'il puisse y faire quoi que ce soit ; sans qu'il n'ait eu la chance de bouger un seul petit doigt pour accomplir pleinement son devoir. En l'espace de quelques secondes, tout avait disparu dans un «pouf» surréel, le laissant devant rien. Le vide. Le néant.

— J'me sens comme si y était tombé dans un ravin, pis que j'avais pas réussi à le retenir, laissa tomber l'ancien directeur. Comme si j'avais même pas eu le temps de le voir trébucher avant de tomber...

— Inquiète-toi pas, murmura sa fille. Ça va bien aller.

— OUIIIIIIIIIIIIIIIIIII! explosa Dominic, les bras levés au ciel, en riant de tout son cœur.

Il se leva et se mit à courir et à sautiller en tournant sur lui-même, aussi content qu'au matin de Noël. Personne ne pouvait expliquer la bonne humeur soudaine de l'enfant au cœur de cette scène de détresse noire. On aurait dit que c'était sa façon à lui de refuser que son environnement sombre dans un sable mouvant de tristesse couronnée d'incertitude.

Jacques déplia ses jambes et s'en alla dans sa chambre, où il s'effondra sur son lit, à bout de forces.

Les deux amis se préparèrent en vitesse, puisqu'ils avaient déjà perdu de nombreuses minutes de leur routine matinale. Claudie arriva juste avant leur départ. Après que Meg lui eut expliqué la situation, la tutrice décida d'emmener son protégé prendre l'air pour laisser son père tranquille.

En chemin vers l'école, Jessie-Ann, assise à l'envers sur son banc, parlait de sa sœur, en prenant soin de pousser la voix afin que tout le monde l'entende.

— Ma sœur est tellement hot ! Hier, est arrivée à maison avec plein de cochonneries à cause qu'a travaille au magasin de beignes, pis des fois a nous ramène des affaires… Y paraît que les clients sont vraiment caves des fois ! Comme l'autre jour, y en a un que ça y a pris genre vingt minutes pour passer sa commande ! Ma sœur voulait tellement l'envoyer promener, là !

— Pourquoi a l'a pas fait ? demanda une de ses suiveuses.

— Ben là ! T'es-tu folle ? Des plans pour qu'a perde sa job ! Sauf que sais-tu qu'est-ce qu'a fait ?

— Non…

— A fait exprès de donner la mauvaise commande au gars !

Les filles se mirent à ricaner de fierté.

— Maudit qu'est hot, ta sœur !

— Mets-en ! Mais ça, tout le monde le sait. Même la gothique ! Hahahaha !!! HEIN, LA GOTHIQUE ?! EST HOT, HEIN, MA SŒUR ?!

Une nouvelle vague de ricanements ridicules se mit à déferler dans l'autobus. Meg retint sa langue, une fois de plus, en ravalant sa colère. Depuis quelques jours, elle faisait tout un travail de retenue pour ne pas sauter au visage de la grande échasse.

Cette dernière se leva et vint s'asseoir sur le siège d'à côté en poussant vers la fenêtre l'élève qui s'y trouvait déjà.

— J't'ai posé une question, dit-elle. Est hot, hein, ma sœur ?

Après un moment d'hésitation, Meg répondit :

— Ben hot.

Zachari sursauta. Une douleur fusa dans son ventre, comme si on l'avait forcé à boire du feu. Son amie venait d'abdiquer devant l'ennemie. La fille la plus forte et la plus entêtée qu'il eut jamais connue venait de déposer les armes en courbant l'échine. Pour la première fois, Meg, la furie incontestée de l'école, le dragon bestial et sanguinaire, baissait les bras et se rendait. Le chagrin envahit la gorge de l'adolescent. Il avait l'impression que son amie abandonnait, se couchait par terre pour laisser l'autre marcher sur son dos, lui laissait toute l'emprise possible sur sa dignité. En deux mots, Meg venait de détruire toute sa réputation. Deux simples petits mots, et cette force qui la caractérisait – cette ardeur à ne jamais se laisser impressionner, à ne jamais laisser quiconque lui en imposer – venait de fondre. Toute sa force, toute sa puissance ; tout ce qui faisait de Meg cette fille redoutable qu'on connaissait, tout ça venait de disparaître dans la poussière de l'air.

— T'étais mieux de dire ça ! répliqua la rouquine en se redressant de toute sa grandeur.

On pouvait voir à l'œil nu l'orgueil et la fierté qui transpiraient sur sa peau. Jessie-Ann savourait une victoire. SA victoire.

CHAPITRE 13

QUAND LA VIE TIENT À UN FIL

Meg ne se donna même pas la peine de marcher en direction du casier de Jade en arrivant à l'école. Au lieu de cela, elle alla directement vers son local de classe. À mi-chemin, Zachari comprit ce que son amie faisait, la salua et changea de direction, puisque son cours à lui se donnait au troisième étage. La minifille ne répondit pas, ce qui n'étonna personne.

Émile grimpa les marches quatre à quatre en prenant bien soin d'ignorer la présence du garçon aux grandes oreilles qui espérait lui parler. Il était encore fâché. Ce que ces deux-là avaient fait ne se faisait pas. Tout simplement. Des vrais amis, ça se dit tout. Ou du moins ça se dit la vérité. Ça ne se cache pas les choses. Surtout pas les choses aussi importantes.

Donovan leva un sourcil en voyant entrer la casquette des Nordiques. Zach remarqua ce petit quelque chose d'inquiétant dans l'œil du prof. Une lueur de méchanceté cachée. Une étincelle de folie. Soudainement, l'enseignant ne lui paraissait plus aussi sympathique qu'aux premiers jours.

— Savez-vous d'où vient l'expression « sauvé par la cloche » ? lança l'homme, d'emblée, dès la première minute du cours.

— Ben ça vient du cours de maths, quand Max y veut nous donner un devoir superplate pis que la cloche sonne juste avant ! lança F.-X.

Tout le monde se mit à rire, sauf Donovan, qui continua comme si rien ne s'était passé.

— Ça vient du temps où les thanatologues n'existaient pas. Qui peut me dire c'est quoi un thanatologue ?

— Ah, je l'sais ! fit Benjamin en levant la main vivement. C'est ceux qui préparent les morts, c'est ça, hein ?

— En fait, un thanatologue, ça peut être plusieurs choses. Mais pour l'explication que je veux vous donner, c'est exactement de ça qu'il s'agit. Un thanatologue, c'est aussi un embaumeur. *Grosso modo*, c'est celui qui vide le corps d'une personne décédée pour le remplir d'un liquide qui va le conserver le plus longtemps possible. Dans l'ancien temps, ce métier-là n'existait pas, et les gens enterraient leurs morts tels quels. Si quelqu'un mourait, sa famille le déposait dans un cercueil et l'enterrait. Tout simplement.

Il laissa planer un silence, pour laisser le temps à tout le monde de bien saisir. Puis il reprit :

— Sauf qu'à un moment donné, y se sont rendu compte que, des fois, y se trompaient et que la personne n'était pas vraiment morte…

— HEIN ? ! s'exclamèrent quelques élèves, surpris et dégoûtés.

— Comment ça ? demanda Ellie.

— Eh bien, dans le temps, la médecine n'était pas aussi avancée qu'aujourd'hui… et quand on ne sentait plus le pouls d'une personne, on pensait qu'elle était morte. Et des fois, le pouls était tellement faible qu'on le sentait pas. Mais le cœur battait encore. Donc on PENSAIT que la personne était morte, mais dans le fond, non. Ça, ou le coma : à l'époque, on comprenait pas vraiment ce que c'était, et on le mélangeait souvent avec la mort… Donc ça arrivait que, des fois, on enterre des personnes vivantes.

Un silence de mort régnait dans le local[12]. Garçons et filles écoutaient comme si leur vie en dépendait[13]. Voyant que son auditoire crevait[14] d'impatience d'entendre la suite, il poursuivit :

— Tout ça pour dire que…

— Mais attends ! l'interrompit Benjamin. Comment y faisaient pour savoir qu'y étaient encore vivants, si y les avaient enterrés ?

— Bonne question. Il pouvait y avoir deux raisons : soit qu'un profanateur de tombe passait par là et…

— C'est quoi un profana…

— C'est quelqu'un qui déterre les morts pour voler leurs bijoux ou leurs objets précieux.

---

12. Ça c'est drôle ! On parle de mort et je dis qu'un silence de mort régnait dans le local ! J'ai pas hâte qu'on parle de pets… (Ha, ha ! J'ai dit « pet » !) (NDA)

13. Trop fort ! J'alterne les mots « mort » et « vie » en deux phrases ! J'suis une poète. (Ha, ha ! j'ai dit « poète » !) (NDA)

14. C'est trop ! Qu'on me donne un prix littéraire sur-le-champ pour parfaite utilisation de champ lexical ! (Ha, ha ! J'ai dit « lexic… » Ouin, non. C'pus drôle, là.) (NDA)

— Ark, ça existe?

— Plus vraiment maintenant, mais avant, oui. Donc soit un profanateur de tombe passait par là et ouvrait un cercueil; soit pour une raison X (comme une enquête, par exemple), on était obligé de déterrer un défunt. Et quand ils faisaient ça, des fois, ils se rendaient compte que la position du corps avait changé.

Une violente exclamation d'horreur se fit entendre dans toute la pièce.

— Évidemment, y fallait faire quelque chose, parce qu'on ne pouvait pas laisser des gens se réveiller dans leur tombe et mourir de faim ou à bout d'air, ou... Bref. La solution qu'ils ont trouvée, c'était de poser une cloche à côté de la pierre tombale et de la relier à un fil, qu'ils faisaient descendre jusque dans le cercueil. Comme ça, si quelqu'un se réveillait dans sa tombe, tout ce qu'il avait à faire, c'était de tirer sur la corde, ce qui faisait sonner la cloche. Le bruit avertissait les gardiens du cimetière et eux, ils déterraient immédiatement la personne! Donc, c'est de là que vient l'expression « sauvé par la cloche »!

— Wôôô!!! firent encore quelques voix réunies.

— Sauf que des fois, y a des malfaiteurs qui voulaient pas qu'on déterre certains morts si jamais ils se réveillaient. Alors c'qu'y faisaient, c'est qu'ils enlevaient le battant en métal dans la cloche, donc même si la personne tirait sur la corde, ça faisait aucun son et ils étaient pris là pour toujours.

Il avait prononcé la dernière phrase en plantant ses yeux directement dans ceux de Zachari. Ce dernier frissonna jusque dans ses souliers. La voix du prof était beaucoup trop grave. Son regard beaucoup trop intense. Est-ce qu'il s'agissait d'une menace déguisée ? Ou est-ce qu'il hallucinait ?

Puis Donovan retrouva instantanément son énergie habituelle et commença à livrer sa matière. Sa voix reprit ses tonalités normales, et plus une seule fois il ne se tourna vers Zach. Le reste de l'heure fut malgré tout étrange. Désagréable. Toute la classe resta marquée par cette histoire de cloche et personne n'arriva vraiment à se concentrer. L'atmosphère demeura lourde, même si le sujet avait complètement changé. On aurait dit qu'un vortex ténébreux attendait le bon moment pour les avaler tous dans sa spirale infernale. Quand la fin du cours sonna, F.-X. s'écria en soupirant de bonheur :

— Ouf ! Sauvés par la cloche !

CHAPITRE 14

PRIS LA MAIN DANS L'EAU

En arrivant dans le local de français, Zach vit Joël, assis en retrait, tout au fond. Meg se choisit une place, relativement la même que d'habitude, sans faire attention au gros garçon. Celui-ci, en voyant arriver ses deux comparses, les gratifia d'un « salut » qu'il essaya de rendre désintéressé. Charles distribuait des notes en vue de l'examen final ; un beau paquet de feuilles remplies à ras bord de règles de grammaire à ne pas oublier.

— À midi, on va aller à piscine, lança Meg d'une voix basse.

— Pour ? demanda Zach.

La fille aux cheveux mauves releva la tête d'un air découragé.

— Euh ! D'après toi ? !

— Ah ! Les indices. Maudit que j'suis niaiseux.

— C'est toi qui l'as dit.

— Mais les autres ? Qu'est-ce qu'on fait ?

— On s'en sacre. Y ont décidé de bouder, c'est leur problème. On n'a pas de temps à perdre.

Elle avait dit sa réponse à haute voix, pour bien se faire entendre. Joël fit semblant de se concentrer sur le document de révision, mais quiconque le connaissait bien savait que dans son for intérieur, il se sentait concerné et avait envie de régler cette histoire. Lui non plus n'aimait pas la discorde. De plus, cette chicane l'isolait énormément. Les journées manquaient de saveur depuis que le noyau du groupe avait explosé. Plus personne à qui parler durant les pauses, plus d'amis avec qui partager les potins de l'école, plus de mission tordue et dangereuse qui leur faisait tous craindre pour leur vie…

Le temps passa, à la vitesse d'un ver de terre endormi, et quand l'heure du dîner sonna, Meg pressa son ami de ramasser ses affaires pour partir. Ils traversèrent l'école en un temps record. L'eau de la piscine remuait encore du cours qui venait de s'achever. Une odeur de chlore prononcée s'infiltra dans leurs narines.

— Dans le fond, c'est sûr que c'est pas DANS la piscine. On l'aurait vu, depuis le temps.

— Attends !

Elle sortit sans explication, le laissant tout seul. Il ne savait pas ce qu'il attendait, mais l'ordre avait été clair : « Attends ! » Le silence se fit tout autour. Zach se rendit compte à quel point la piscine était un endroit tranquille lorsqu'il n'y avait personne.

La porte s'ouvrit à la hauteur de l'estrade. Meg avança en sautant sur les rangées de sièges et s'appuya sur la balustrade en plissant les yeux.

— Qu'est-ce tu fais ?

— Je r'garde dans l'eau, indiqua l'adolescente.

— Pourquoi ?

— Pour voir si y a quelque chose d'écrit au fond.

— J'comprends pas…

— C'est quoi la meilleure façon de cacher quelque chose ?

— Je l'sais pas ?

— C'est de le mettre à la vue de tout le monde.

— Hein ? !

Elle lui expliqua avoir trouvé cette logique en regardant un film :

— Le gars, y cherche un dessin, pis y arrive pas à le trouver. Un moment donné, tu réalises qu'y était dans face de tout le monde, sauf que personne s'en rendait compte, parce qu'y était dessiné tellement gros que la seule façon de le voir, c'était en grimpant sur le toit d'un *building*.

— Wow. C'est intelligent.

— Ouain.

— Pis là, tu vois-tu quelque chose ?

— Non.

Elle ressortit, déçue. À nouveau plongé dans l'attente, Zachari essaya de démystifier cette histoire d'éléments.

De l'eau, y en a partout… Peut-être qu'on pourrait commencer par de quoi de plus facile ?

Comme si elle avait lu dans la tête du garçon, Meg entra de nouveau, cette fois-ci à l'étage du bassin, en disant :

— Le feu. Y en a déjà moins, on pourrait commencer avec ça ; ça serait plus facile peut-être.

— C'est justement à ça que je pensais !

— OK. Où c'qui a du feu dans l'école ?

— Hmm. À café ?

— Ouain… Mais sinon ?

— Je l'sais pas trop. Y a-tu un vieux foyer, ici ? Genre qu'on utilise pus, mais qui servait dans le temps des moines ?

— J'pense pas.

— Oh ! L'électricité ! C't'un genre de feu, non ?

— Tu penses à la place qu'on était allés se cacher l'année passée quand j'ai pété le nez à Jimmy ?

— Oui !

— Bonne idée.

Ils allaient quitter les lieux quand la porte s'ouvrit derrière eux.

— Est-ce qu'on peut savoir ce que vous faites ? demanda Donovan avec un sourire malicieux.

— On s'en allait, répondit Meg.

— Vous avez pas le droit d'être ici sans surveillance, ça fait partie du règlement.

— On est juste venus voir de quoi, on s'en va, là, plaida Zachari.

— … Venus voir quoi ? l'interrogea le professeur.

— J'avais oublié mon casque de bain, prétexta la minifille.

— Coudon, y a quelque chose qui t'appartient dans tous les locaux de l'école, toi, si on t'écoute parler !

— Ouain, pis ?

— Ouain, pis ? Ben ça commence à être tannant de vous voir traîner partout où vous avez pas d'affaire! Moi, je pense que vous essayez de voler de l'équipement!

— C'est quoi, tu vas fouiller nos sacs? en déduisit la jeune fille.

— Non seulement je vais les vider, mais je vais aussi vous donner une retenue pour impolitesse et non respect du code de vie de l'école. Allez. Montrez-moi vos affaires.

En levant les yeux au ciel, Meg ouvrit la fermeture éclair de son sac et le tendit à l'enseignant, qui l'inspecta sans se gêner, en plongeant la main à l'intérieur pour tâter chaque article qui s'y trouvait. Le même manège reprit dans les effets de Zach.

— J'pense pas qu'on aurait volé du papier à piscine, s'objecta Meg devant celui qui passait au peigne fin chacune des feuilles qu'il trouvait.

— C'est bon. Vous avez rien volé. V'là vos papiers de retenue. Et la prochaine fois que je vous vois dans une pièce où vous n'avez pas d'affaire, je vous fais suspendre.

— C'est juste le directeur qui peut nous suspendre, déclara la minifille, frondeuse.

— Ah, parce que tu penses que le directeur m'écoutera pas? C'est grâce à moi si y a pris la place de ton père! Donc si j'étais toi, j'arrêterais de faire ma *smart* et je resterais polie, avant que je décide carrément de vous expulser!

Les deux amis sortirent, ulcérés.

— Veux-tu ben me dire comment y a fait pour savoir qu'on était là? s'écria Zach, une fois dans le grand corridor.

— C'est pas ben ben compliqué. Regarde en arrière.

Il se retourna et aperçut au loin l'enseignant, qui les épiait à la croisée de deux chemins.

— Merde, ça veut dire qu'on peut pas aller en bas, si y nous *check* de même.

— Ça veut dire qu'on pourra jamais aller nulle part si y nous *check* tout le temps.

— Mais je l'ai pas vu pendant qu'on s'en allait à piscine, me semble ?

— Parce que tu le cherchais pas. Pis même si y était pas là, peut-être qu'y a des espions pour nous surveiller. Genre : la grosse conne aux ch'veux orange. Genre de personne à qui ça ferait PLAISIR de nous *stooler*.

Ils durent oublier leur projet cet après-midi-là. C'est très contrariés qu'ils terminèrent la journée. Et pour ajouter au déplaisir général, la retenue fut supervisée par Daniel. Heureusement, il y avait d'autres élèves avec eux. Sinon, qui sait ce qui aurait pu arriver ?

CHAPITRE 15

QU'ON LUI JETTE LA PREMIÈRE PIERRE

— Maudit qu'y sont caves d'être fru d'même ! s'écria Meg, au sujet des cinq autres, alors que les deux amis étudiaient dans la chambre de Zach. Dominic sursauta. Il n'aimait pas les éclats de voix. Surtout pas ceux de sa sœur.

— En même temps, je les comprends un peu, pour vrai…, avoua son ami.

— Je l'sais, mais c'est niaiseux, là ! On n'a pas fait ça pour les écœurer ! C'était la meilleure chose à faire !

— Ouain, mais si c'était eux autres qui nous avaient caché ça, on serait sûrement fru nous autres avec… Non ?

— Ben oui, là. Mais sont vraiment cons de pas comprendre.

— Ouain, ben si on essaye pas d'arranger ça, y a moins de chances qu'y comprennent de quoi.

— C'est sûr…

— On pourrait peut-être leur écrire un message ?

— Ouain.

Ils allumèrent l'ordinateur et, dans la barre de recherche, tapèrent l'adresse www.lessept.com. Meg entra son code : Me9ane. Aussitôt, son babillard apparut. Dans sa boîte de réception, un nouveau message attendait, non titré. En cliquant dessus, on pouvait y lire une seule petite phrase : « C'est Émile qui l'a dit à Donovan. » Chose étrange, la note ne venait de personne en particulier. Normalement, le nom de l'expéditeur s'inscrivait automatiquement. Là, rien. Seulement ces quelques mots, en provenance de personne. Les conséquences ne furent pas moins terribles.

— Gros con sale de cave de marde ! s'exclama Meg.

Elle referma tout et éteint l'ordinateur.

— Qu'est-ce tu fais ?

— Laisse faire les explications. J'vais y régler son compte à Émile, moi, y croira même pas à ça !

Ils passèrent le reste de la soirée chacun de leur côté. La minifille, terriblement en colère, pestait contre tout et rien. Elle s'enferma dans sa chambre et n'en ressortit pas avant le lendemain. Zach se versa un verre d'eau, qu'il but d'un trait. Après l'avoir rempli de nouveau, il alla s'écraser sur son lit, tiraillé par toutes sortes de sentiments. La colère de Meg était facile à comprendre, puisqu'un de leurs amis venait de les trahir.

Encore..., murmura la petite voix dans sa tête.

Mais c'était la tristesse qui, encore une fois, prenait le plus de place. Tout semblait s'effriter depuis quelques jours. À bien y penser, sa vie paisible n'existait plus du tout, depuis le début du secondaire. Tous ses repères tombaient l'un après l'autre, comme dans un immense jeu de dominos. Même sa maison et sa mère ! Et maintenant, les seuls qui pouvaient lui apporter du réconfort dans ce chamboulement total, ses amis, avaient eux aussi décidé de s'éloigner. De sortir de sa vie. On aurait dit que le destin s'amusait à aspirer tout ce qui lui faisait du bien.

Aspirer…

Il se releva et ouvrit le dernier tiroir de son bureau. Les inventions d'Eugène. Meg lui avait dit de les cacher là. Son père ne fouillait jamais nulle part. Si quelque chose était introuvable, il demandait directement à sa fille, qui lui indiquait où regarder. L'aspireau traînait là, parmi d'autres objets. Zach le saisit et l'observa, le retournant de tous les côtés. Cette petite éponge, qui n'en était pas vraiment une, paraissait plutôt inoffensive. Sa texture lui rappelait celle de la guimauve. Mais son matériel, filamenteux et criblé de milliers de petits trous, ressemblait à… À rien, en fait.

Zachari hésita quelques secondes. Une envie terrible de l'essayer le titillait. Il regarda son verre d'eau, posé sur la table de chevet. Une si petite quantité de liquide ne pouvait pas faire beaucoup de dommage… Oh, et puis merde. Il suspendit l'étrange invention au-dessus du verre.

— Wow !

De minuscules gouttes remontaient dans l'air pour aller se coller contre l'aspireau, qui sembla…

s'animer ! Surpris, Zach le lâcha dans son verre et, au contact de l'eau, l'objet se gonfla spontanément, comme les poissons remplis d'épines qui, par réflexe de survie, deviennent aussi gros qu'un ballon. On ne voyait plus une seule goutte d'eau dans le récipient. À la place, l'espèce de guimauve-éponge remplissait tout l'espace et se compressait contre les parois. Son volume avait doublé, triplé, quadruplé.

— OK, c'est vraiment…

Un « CLING » retentissant se fit entendre au moment précis où le verre explosa en morceaux, sans prévenir. Zach en reçut un éclat au visage, qui lui ouvrit la peau juste au-dessus du sourcil.

— Ayoye ! ! !

Il demeura sans bouger durant plusieurs secondes, essayant de comprendre ce qui venait de se passer. Du verre traînait partout dans la chambre, on aurait dit qu'une mine venait de sauter. Puis, réalisant que plus rien ne se produirait, le garçon se leva pour aller se mettre un pansement et chercher un balai. Lorsqu'il revint dans la chambre, à peine quelques minutes plus tard, l'aspireau avait repris sa forme originale.

— Ben voyons donc ! …

L'objet fut rapidement expédié sous son oreiller. Pour une raison obscure, Zach ne voulait pas le remettre avec les autres. Il préférait l'avoir près de lui. Il retourna ensuite vers le tiroir, où une fiole de verre attira alors son attention.

C'est quoi ça ?

Il la prit entre ses mains et l'observa, sans comprendre. Le contenant renfermait une sorte de sable très fin et très noir. À première vue, l'objet lui paraissait tout à fait anodin. Mais en le regardant plus attentivement, le garçon remarqua que les granules noirs brillaient légèrement. Il aurait bien aimé retirer le bouchon de liège qui gardait le sable emprisonné, mais une petite voix lui suggérait de n'en rien faire.

D'un coup que ça explose quand je l'ouvre... Ou que ça fait fondre ma main ! On sait jamais avec les inventions à Euge, j'suis aussi ben de le laisser fermé.

Il resta planté là un bon moment, à essayer de comprendre à quoi cette fiole pouvait bien servir. Il eut beau la remuer dans tous les sens, la cogner avec le bout de ses doigts, la passer sous l'eau chaude et froide, rien ne se produisit.

— Bonn-e nuiiit, fit lentement une petite voix rêveuse derrière lui en le faisant sursauter.

Dominic se tenait à la porte, pieds nus, et allait entrer, sans remarquer les éclats de verre partout sur le plancher.

— Non, non, 'Minic, attends, j'vais venir, moi, te faire une caresse !

— Ca-resse...

Il jeta le contenant vers son sac et s'empressa d'éloigner le petit du danger. Une fois l'enfant couché, Zach revint et ramassa son dégât. L'opération fut longue et compliquée, puisque la vitre s'était propagée partout. Au bout d'une demi-heure, le porte-poussière fut enfin rangé, ses mains, lavées et ses dents, brossées. La fatigue s'emparait de lui. Il se déshabilla, s'installa sous les couvertures et éteignit la lampe. Dans le coin de la pièce, *quelque chose* se mit à briller dans l'obscurité.

— Hein?…

Une lumière diffuse sortait… de son sac à dos! Le halo de clarté semblait irréel. Paranormal. Zachari ralluma, pour donner un peu de courage à ses nerfs qui menaçaient de flancher, et la lueur cessa instantanément de briller.

J'ai peut-être halluciné. C'était peut-être juste un genre de…point qui est resté dans mes yeux après que j'ai regardé l'ampoule.

Il éteignit à nouveau. Encore une fois, des rayons se mirent à sortir de son sac, comme si la lune s'y était cachée pour lui jouer un tour. Le garçon se leva doucement et, sur la pointe des pieds, approcha. Ce qu'il vit le laissa complètement abasourdi. Là, dans le fond de son sac, la fiole brillait de tous ses feux.

CHAPITRE 16

NOTA BENE

Au matin, Zach sortit de sa chambre avec, dans sa main, le sable-lumière. Meg l'attendait dans la cuisine en brassant des ustensiles. Son humeur ne s'était pas améliorée. Même que sa colère avait mûri pendant la nuit. Si bien que son ami la trouva dans un état exécrable et décida d'attendre avant de lui parler de ses découvertes de la veille. Il mit la fiole dans sa poche et se prépara un petit-déjeuner.

Les élèves qui voyageaient avec eux dans l'autobus commencèrent à parler moins fort dès que les deux amis y entrèrent. Jessie-Ann n'osa pas émettre le moindre commentaire tellement la fureur de Meg en imposait. Ça faisait longtemps qu'on ne l'avait pas vue aussi hors d'elle. Curieusement, Zach se sentait heureux de la savoir dans cet état. D'une certaine façon, il retrouvait son amie. Comme on retrouve un vieux jouet pour constater qu'il n'est pas brisé. L'agressivité flottait comme un voile autour de la minifille.

On dirait qu'est revenue à la vie, remarqua sa petite voix.

Après être débarquée du véhicule, la jeune fille marcha d'un pas assuré vers l'école. Personne ne la ferait dévier de son trajet. On devait presser la cadence pour la suivre. Elle poussa sur les portes tellement fort que celles-ci claquèrent contre les murs en s'ouvrant. Des têtes se tournèrent dans sa direction. Émile était devant le casier de Jade. Meg lâcha son sac et se mit à courir dans sa direction. Heureusement, son fidèle ami se tenait derrière et surveilla ses affaires tout en essayant de voir comment se déroulerait le règlement de comptes. Avant que tout le monde ne se presse autour de la tête mauve à la coiffure improbable, il put apercevoir Émile en train de se faire plaquer solidement dans un casier, surpris et décontenancé.

— C'est quoi ton problème à toi ?! siffla Meg entre ses dents.

La rage sortait d'elle comme un champ électrostatique. Le sportif ne trouva pas les mots pour s'expliquer tellement le petit bout de personne devant lui paraissait dangereux et prêt à le réduire en miettes.

— C'est quoi, qu't'attends ? Que Donovan la trouve avant nous autres, pis que la guerre éclate, pis que tout le monde meure ? HEIN ?! C'est quoi ton maudit BUZZ, à toé ?! Ton cerveau, y a-tu fendu pendant la journée d'hier, ou t'es juste un épais de naissance ?!

Elle tira sur les vêtements de l'adolescent et le plaqua de nouveau contre le métal, qui résonna sous l'impact. Zachari s'approcha, un sac à dos sur chaque épaule, en essayant de capter des images à travers la foule, désormais massée en grappe serrée autour des deux adversaires. À ce moment, il constata que son amie avait grandi. Émile semblait moins gigantesque à côté d'elle. Ce que Zach ignorait, c'était que la minifille se haussait sur la pointe des pieds, alors que la crainte faisait plier les genoux du fautif, intimidé. Elle profita de ce moment pour lui donner un solide coup de coude sur la mâchoire. Les larmes montèrent aussitôt dans les yeux d'Émile, qui les empêcha de toutes ses forces de couler sur ses joues.

— J'te jure que si tu refais une affaire de même, j'te fesse dans le dos à coup de barre de métal, pis tu pourras pus jamais marcher de ta vie, c'tu clair?!

La réponse fut trop lente à se faire entendre.

— C'EST-TU CLAIR?!?! hurla Meg, rouge de colère, en resserrant son emprise.

— OUI, C'EST CLAIR!

Elle le relâcha et fendit la foule, qui s'écarta pour lui ouvrir le chemin. Émile demeura figé sur place, dévoré par une centaine de regards qui espéraient le voir pleurer ou répliquer. Jade s'approcha et tendit la main vers lui pour le consoler. D'un geste brusque, il se dégagea et quitta l'endroit à son tour. Les curieux se dispersèrent enfin, laissant la belle face à face avec Zachari. Celle-ci planta ses yeux dans les siens, hocha la tête lentement et s'éloigna à son tour. Elle était déçue. Choquée. Ça paraissait. Zach eut un pincement au cœur en se rappelant qu'il était à l'origine de toute cette querelle.

L'avant-midi passa dans une espèce de brume. En français, Joël se montra encore une fois cordial, sans plus. Bien entendu, on l'avait informé de l'incident survenu dans la matinée, mais il ne posa aucune question. Juste avant le cours d'éthique et culture, Maggie et Jade vinrent directement voir Zachari et le bombardèrent :

— C'était quoi le rapport, à matin ? demanda sèchement la belle fille en repoussant une mèche de cheveux qui lui tombait dans l'œil.

Même fâchée, elle était magnifique.

— C't'à cause qu'Émile est allé voir Donovan, pis y a dit qu'on était à piscine…

— Pis ça, c'était une bonne raison pour le pogner devant tout le monde ? l'interrompit Maggie.

— Non, mais vous comprenez pas ! Nous autres on cherchait les indices, pis si on en avait eu un dans les mains, y nous l'aurait confisqué, pis peut-être que la formule…

— Quels indices ? ! On sait même pas c'est quoi, les maudits indices ! À moins que vous soyez encore en train de nous cacher des affaires ? !

— Non ! On vous cache rien, c'est juste que…

— De toute façon, j'm'en fous, le coupa Jade. C'était pas une raison pour le planter dans les cases de même ! Pis en plus, c'est qui qui vous a dit que c'était lui qui l'avait dit au prof ? Hein ? C'est peut-être même pas vrai !

— C'était écrit sur le site !

— Qui qui a écrit ça ? fit Maggie.

— Je l'sais pas, c'est ça qui est bizarre !

— Oh, c'est ça. Quelqu'un écrit sur notre site secret, pis tu *sais pas* c'est qui ? ! Euh… C'parce que ça peut juste être un de nous sept ! C'est pas moi, c'est pas Jade… Ben… C'tu toi, Jade ?

— Non !

— Bon. C'est certainement pas Émile ; pis si c'était Joël qui l'avait écrit, tu l'aurais reconnu – y écrit tellement mal ! – pis Alice… Ça m'ÉTON-NERAIT que ça soit son genre ! Avant d'essayer de faire de la chicane, elle, a changerait d'école, fait que…

— Qui c'est qui reste ? HON ! R'garde donc ça ! Meg, pis toi ! C'est drôle ça… Les deux qui veulent jamais rien nous dire !

— On veut pas « jamais rien vous dire » ! Là, vous mélangez les…

— Moi, j'pense que vous essayez juste de vous débarrasser de nous autres. Pis si c'est ça, vous avez rien qu'à le dire ! On n'a pas besoin de ça, nous, du monde hypocrite !

— Non ! Ç'a pas rapport ! J'vous le jure…

— Laisse faire ! Viens, Maggie.

Les deux filles allèrent s'asseoir plus loin, sans plus lui adresser un seul regard. Le cours commença et Zachari sortit ses livres, le cœur gonflé de tristesse.

CHAPITRE 17

RESPIRER À LA SOURCE

L'heure du dîner arriva enfin et tous les élèves inondèrent le grand corridor, qui se remplit automatiquement d'odeurs de toutes sortes. Meg attendait devant le casier de Zachari. Lorsqu'il arriva, elle le tira par une manche en disant :

— Mets ton sac dans ta case pis viens-t'en. Vite !

Au pas de course, elle l'entraîna vers l'auditorium, que plus personne ne verrouillait depuis le décès du concierge. En coup de vent, elle referma sur eux et tourna le verrou.

— Qu'est-ce qu'on fait ici ? demanda le garçon.

— J'étais dans le cours à Donovan, pis y a quelqu'un qui est resté après la cloche pour y poser des questions.

— ... OK ! Pis ?...

— Ben pendant ce temps-là, y est pas en train de nous surveiller pour voir tout ce qu'on fait pis où c'qu'on va !

— OK, mais qu'est-ce tu veux qu'on fasse, ici ? Tu penses qu'y a un indice dans l'auditorium ?

— Je l'sais pas, mais au moins on est tout seuls, ça va nous donner du temps pour réfléchir.

Elle eut à peine le temps de terminer sa phrase que quelqu'un tira sur la porte depuis l'extérieur. Constatant que celle-ci était fermée, la personne asséna de gros coups contre le bois, qui résonna dans leur dos. Ouvrant de grands yeux de panique, Zach articula sans émettre un son :

— (Qu'est-ce qu'on fait ?)

Meg regarda tout autour. Il fallait trouver une solution. Et rapidement. Sinon, Daniel ou Donovan les entraînerait encore dans un bureau quelconque et fouillerait le contenu de leur sac avant de les suspendre, et alors, ils perdraient une semaine complète de recherches. Ce qui était inadmissible. Le professeur de géo pouvait trouver la formule à tout moment maintenant. Ce qui ne serait bon pour personne. Alors du temps, les deux amis n'en avaient pas à perdre.

On n'entendait plus rien derrière la porte. Celui qui voulait entrer était probablement parti chercher les clés, ou allait tout simplement se faufiler par la chambre d'Eugène, en passant par la partie non rénovée. Deux options s'offraient à eux : sortir immédiatement, ou trouver un endroit sûr pour se cacher. La première option semblait risquée. C'était peut-être exactement ce que l'intrus voulait qu'ils fassent. Peut-être attendait-il tout simplement de l'autre côté de la porte, afin de les prendre sur le fait dès qu'ils mettraient le pied dehors. Zachari s'agita. Elle allait lui faire signe de la laisser réfléchir tranquille, quand il pointa une trappe de ventilation dans le mur, près de la scène.

— Le seul problème, c'est qu'est genre à cinq mètres dans les airs…, observa le garçon.

— S'en fout. Vite !

Elle se leva et courut vers le trou… plutôt petit, finalement. Heureusement, Joël n'était pas avec eux, parce qu'il aurait fallu le couper en deux pour le faire entrer. Meg monta sur la scène et ordonna à son ami de ne pas la suivre.

— Pourquoi ? Où tu vas ?

— Place-toi en avant de moi ! lança-t-elle en s'avançant sur le bord, face aux sièges réservés au public.

Il obéit, sans trop comprendre. Elle lui fit faire volte-face et, dans une série de mouvements peu sécuritaires, embarqua ensuite sur ses épaules et Zachari dut lutter pour ne pas l'échapper.

— T'aurais pu m'avertir que t'allais faire ça !

— Grouille-toi, emmène-moi devant le trou !

Il marcha tant bien que mal en direction de la trappe. Non pas que Meg fut lourde, mais jamais Zach n'avait eu à transporter quelqu'un sur ses épaules. C'était comme si, d'un seul coup, il venait de grandir de plusieurs centimètres, et tout son centre de gravité s'en trouvait modifié.

— Accote-toi, j'vais me mettre debout.

— Quoi ?!

— VITE, VITE !

Une fois de plus, il fit exactement ce qu'elle lui demandait. La minifille releva un genou et mit le pied sur l'épaule de son ami, qui grimaça. La semelle lui écrasait la clavicule.

— Recule un peu.

Elle avait besoin d'espace pour se relever afin de ne pas tomber à la renverse. En poussant de ses mains contre le mur, il fut plus facile de transférer son poids d'un côté afin de se relever.

— Voyons, Zed, tu bouges donc ben !

— Ben oui, mais c'pas facile !

On entendait des voix derrière la porte d'entrée. Donovan discutait avec un autre homme, pendant que ce dernier remuait un trousseau bien garni. Meg réussit enfin à se placer debout sur les épaules de son ami, qui laissa échapper une plainte en piétinant à la recherche de son équilibre.

— Arrête de chialer !

Rapidement, elle plongea dans l'ouverture et disparut.

— Mais là… ! Pis moi ? ! fit Zach.

La tête mauve réapparut après quelques secondes.

— Les nerfs, fallait que je me r'vire de bord !

Une clé glissa dans l'ouverture en métal et se bloqua quand on essaya de la faire tourner. Ce n'était pas la bonne. Les deux adolescents commençaient à transpirer sous la pression. En se cramponnant de ses jambes contre les parois du petit tunnel d'aération, Meg laissa pendre tout le haut de son corps à l'extérieur et tendit les mains au garçon, qui la regarda, incrédule.

— Heille, si tu te grouille pas, j'te laisse là ! lança-t-elle, menaçante. DONNE TES MAINS !

— Ben oui, mais tu réussiras jamais à me lever !

Il tendit quand même les bras et la jeune fille s'accrocha fermement aux poignets de Zachari, qui l'imita.

Ça marchera jamais, observa la voix dans sa tête. *Voyons donc, ses poignets sont tellement petits, j'ai l'impression de tenir des bâtons de cannelle, c'est sûr qu'a va casser avant que j'arrive à monter là-dedans !*

— Ben là ! Aide-toi ! dit Meg en forçant. Pousse avec tes pieds su'l mur pis grimpe !

Bénis soient les murs de pierre. Grâce à leur irrégularité, Zach arriva à prendre pied pour se pousser vers le haut, comme on le fait en escalade. Bien accroché à son amie qui forçait, comme l'indiquait la veine sur son front, il commença son ascension, pendant qu'une nouvelle clé passait dans le trou de la porte et que les deux hommes commençaient à s'impatienter.

— OK, là, essaye d'attraper le bord du trou, moi j'vais tirer avec mes deux mains sur ton autre bras ! À go : un, deux, trois, GO !

D'un geste quasi surhumain, Zachari s'élança et réussit à s'accrocher au côté droit de la trappe d'air. Un de ses pieds glissa de quelques millimètres et c'est en tremblant de tout son corps qu'il le replaça, pendant que Meg serrait les dents, en tirant sur ses propres jambes jusqu'à l'épuisement. Cette position précaire pouvait les faire chuter tous les deux à n'importe quel moment. Dehors, on entrait à nouveau une clé dans la serrure. Dans un effort indescriptible, les deux amis joignirent leurs forces, et bientôt, Zach réussit à passer la tête, puis les épaules, puis le haut du corps, ce qui lui permit de relâcher un peu ses muscles. Le verrou tourna enfin et la porte s'ouvrit. Meg tira une dernière fois, comme si sa vie en dépendait, JUSTE au moment où Donovan entrait, suivi de Bob. Le garçon réussit à se glisser complètement dans le tuyau rectangulaire[15].

— OK! Ça suffit! beugla l'enseignant. Sortez de votre cachette tout de suite! J'ai pas le goût de rire, je suis tanné de courir après vous tout le temps! Là c'était la dernière fois que vous faisiez vos p'tits fendants, vous allez voir que j'ai pas l'intention de vous laisser me pourrir la vie! SORTEZ!!!

Daniel entra au même moment.

— Pis? demanda-t-il.

— Y se cachent… J'te dis que je niaiserai pas longtemps avec eux autres, moi.

Depuis leur trou, cachés dans l'ombre, Meg et Zachari pouvaient les voir s'agiter. Le surveillant remontait les rangées en regardant sous chaque siège, pendant que le directeur se dirigeait vers les coulisses. Le prof d'histoire et de géographie, lui, s'en alla directement sous la scène, en indiquant aux deux autres la marche à suivre:

— Bob, va à la porte, pis surveille pour que personne entre ici. Pis si tu les vois passer, avertis-nous,

---

15. Ouf! Quel suspense! On dirait qu'on est dans un livre! (NDA)

mais ça m'étonnerait ben gros. Daniel, va vite voir dans l'aile C... Si y sont pas ici, c'est là qu'y vont être.

La dernière partie de cette phrase, Bob ne pouvait pas la comprendre. Effectivement, l'homme ignorait que l'auditorium et la fameuse partie non rénovée de l'école communiquaient par un passage secret. Meg tira sur les vêtements de son ami et lui indiqua silencieusement de la suivre. Impossible de retourner dans la salle de spectacle sans se faire prendre. Ils étaient cernés de tous les côtés. À quatre pattes, les deux complices commencèrent à se promener dans le plafond, à la recherche d'une nouvelle sortie. Mais le dédale des couloirs d'aération se multipliait dans tous les sens imaginables et se divisait comme un véritable labyrinthe. Et comme si ce n'était pas assez, une obscurité digne de la plus inquiétante des nuits les enveloppait. Meg se cogna même le front dans un cul-de-sac.

— Merde, on voit rien! s'exclama-t-elle.

— Ah, mais attends! J'ai le sable!

— Le quoi?

— Tu vas voir!

Il sortit de sa poche, en se félicitant de l'avoir mise là, l'étrange fiole trouvée dans les objets d'Eugène. L'intérieur de celle-ce se mit à briller comme une étoile, éclairant leur chemin.

— C'est quoi ça? demanda la minifille, perplexe.

Le garçon lui expliqua comment, la veille, elle s'était mise à émettre de la lumière dans son sac.

Son amie, impressionnée, voulu la tenir dans ses mains pour l'observer.

— On dirait du…, articula-t-elle lentement, en essayant de comprendre.

— C'est comme du sable, pis quand y est à lumière, y est tout noir. Pis y brille pas pantoute.

— Tu l'as-tu ouvert ?

— Non… Au cas où.

— Ouain.

Elle resta un moment à observer le petit objet étrange. Après plusieurs secondes, Zach proposa doucement :

— On devrait peut-être continuer, avant que la cloche sonne. Parce que quand les cours vont recommencer, LÀ ça va être dur de sortir sans se faire remarquer.

— T'as raison.

Ils reprirent leur route, en tournant toujours dans le tunnel le plus long. Ainsi, ils risquaient moins de se perdre et de se retrouver dans une autre impasse. Des trappes, semblables à celle de l'auditorium, s'ouvraient à certains endroits. Évidemment, celles-là étaient recouvertes d'une plaque de métal. En regardant à travers les fentes destinées à laisser passer l'air, les deux amis pouvaient voir à peu près où ils étaient rendus. Malheureusement, la plupart des trappes donnaient sur des classes, vides à ce moment de la journée. Une voix familière monta jusqu'à leurs oreilles, au loin. La distance les empêchait d'entendre clairement ce qui se disait, alors les deux amis se laissèrent guider, jusqu'à arriver au-dessus de celle-ci :

— … Non. Y étaient pas là non plus.

— Les p'tits maudits.

Daniel et Donovan.

— Mais penses-tu vraiment qu'y le savent, pour la formule?

— Ah oui. Si y a UNE personne qui sait que cette formule-là existe, c'est le jeune avec les grosses oreilles.

— Pis l'autre p'tite délinquante aux cheveux mauves…

— Exact. En fait, tout le groupe le sait. Mais en ce moment, y se parlent pus parce que les deux ont caché quelque chose au reste du groupe.

— Tu penses que c'est la formule?

— Je sais pas. Mais ça serait logique.

— Pourquoi tu forces pas ton ancien collègue à te dire où elle est, tout simplement? Je peux t'aider si tu veux.

— Penses-tu vraiment que je l'aurais pas fait si je savais où il est?

— Quoi? Tu sais pas?

— Non! Y a encore disparu, le sale traître. Donc j'suis obligé de me fier à des élèves stupides! Quand je vais leur mettre la main dessus, j'te jure…

— Mais si on les suspend, on pourra pas garder un œil sur eux…

— Mais non. C'était juste pour leur faire peur, ça. Pour qu'ils se tiennent tranquilles.

— Mouais… As-tu trouvé ce que voulait dire le dessin de la fille, là, les quatre triangles?

— C'est des symboles. Ça représente l'eau, la terre, l'air et le feu. Eux aussi le savent. C'est pour ça qu'ils étaient à la piscine.

— Y ont-tu trouvé quelque chose ?

— Non. J'ai tout fouillé. Mais c'était pas bête, l'idée de la piscine, pour l'eau. Donc je suis retourné voir.

— Puis ?

— Rien… Dans la piscine. Mais la piscine, c'est pas juste le bassin où on nage. C'est aussi le filtreur.

— Brillant ! Et ?

— J'ai trouvé ça.

Un bruit d'objet qu'on dépose sur un bureau, puis un silence.

— C'est quoi, de la pierre ou du… marbre ?

— Sais pas. Mais c'est l'inscription que j'arrive pas à décoder.

— J'avoue, on dirait un…

On cogna à la porte.

— C'est ouvert ! cria Daniel.

Bob entra, fébrile :

— Je suis retourné jeter un coup d'œil dans l'auditorium, juste pour voir…

— Les as-tu vus ?

— Non, mais j'ai remarqué quelque chose. La trappe d'aération est ouverte, est-ce que ça a toujours été comme ça ?

— Je sais pas…, dit Donovan.

— Penses-tu qu'y se seraient cachés dans la ventilation ? fit Daniel.

— Rendu là, je pense qu'y seraient capables de faire n'importe quoi ! répliqua le prof.

— Voulez-vous que j'aille vérifier ?

— Ferais-tu ça ?

— Ben là, si on a des élèves qui se promènent dans le plafond, c'est pas très très sécuritaire ! Certain que je le ferais !

— D'accord, allons-y, vite !

Meg se redressa, et faillit se cogner de nouveau sur le rebord de l'ouverture. En lançant un regard de mépris vers la structure, elle remarqua quelque chose.

— OK, faut sacrer notre camp ! chuchota Zach, paniqué.

— Attends, minute… Donne-moi ton affaire de lumière, lui ordonna-t-elle.

— Mais…

— Donne !!!

Il obéit. Ce que son amie avait vu était en fait une enveloppe, collée avec du ruban adhésif, juste au niveau du trou. De couleur grisâtre, elle se fondait un peu dans le métal du passage étroit. Loin, très loin derrière, on entendit alors du mouvement. Bob commençait à s'infiltrer dans leur refuge. Avant longtemps, il fondrait sur eux et là, si on ne les suspendait pas, on allait sûrement les enfermer à double tour jusqu'à la fin de l'année.

— Dépêche-toi, s'il te plaît, la supplia le garçon.

Meg était inébranlable. D'une main calme, elle tira doucement sur le papier, de façon à le décoller sans le déchirer et sans faire de bruit.

— Dégrouille, y s'en vient !

— Relaxe, y a le temps de se perdre cent fois avant de nous trouver…

Enfin, l'opération prit fin et son amie se tourna vers lui, prête à continuer.

— Par là, fit-elle, sans s'énerver.

Ils avancèrent encore et, au bout de quelques minutes, arrivèrent devant une trappe qui donnait sur une pièce sombre. Ils ne distinguaient rien du tout à travers les fentes du panneau protecteur.

— OK, ben on va sortir ici, ça m'étonnerait qu'y ait quelqu'un.

— Mais comment on fait ?

— Comme ça.

Meg s'assit et pivota sur elle-même, de façon à faire face au trou. Dans la même position, elle ramena ses genoux sur elle et frappa de toutes ses forces avec ses deux pieds. Un bang sonore se fit entendre, suivi d'un bruit qui indiquait que la plaque de métal venait de tomber sur le sol de l'autre côté.

Zach passa la main dans le local, en tenant la fiole. Il s'agissait d'une pièce de rangement. Soudain, il bougea les doigts et, par mégarde, laissa choir le petit contenant au sol.

— Merde !!!

Étrangement, celui-ci résista au choc et ne se brisa pas.

— C'est ben bizarre, ça !

— Ça doit être du plexi ou quelque chose du genre…

— Du quoi ?

— J't'expliquerai plus tard, dépêche-toi !

Les murs étaient recouverts de tablettes, ce qui leur permit de sortir de là sans faire d'efforts dignes d'acrobates de cirque. Meg actionna l'interrupteur et ramassa le panneau de protection, pour le cacher avec l'enveloppe grise, sous une boîte qui semblait ne pas avoir bougé de là depuis des années. Ni vu ni connu. Son ami ramassa le minuscule contenant de sable noir et posa la main sur la poignée, prêt à sortir, quand elle l'arrêta.

— Heille! Les nerfs, on sait même pas qu'est-ce qu'y a de l'autre bord!

— Ben oui, mais…

— Attends, minute!

Elle se coucha par terre et regarda par la fente sous la porte. Des pieds passaient de gauche à droite; certains pressés, d'autres, moins.

— On va tomber dans le grand corridor, annonça l'adolescente.

— Qu'est-ce qu'on fait?

— Prends la guenille qui est là.

Elle s'empara à son tour d'un balai ainsi que d'un carton rigide et d'une bouteille de verre, qui reposait au fond d'une poubelle.

— OK. Fais semblant que tu sais ce que tu fais.

Meg déverrouilla la porte et ils sortirent. Elle entraîna le garçon vers un corridor où il n'y avait personne. Après avoir rempli la bouteille d'eau à un abreuvoir, elle la lança par terre. Évidemment, le contenant se brisa au contact du sol, répandant son liquide partout.

— On ramasse, annonça la minifille.

*Coudon, on dirait que je fais juste ça, ramas-
ser de la vitre, depuis hier!* remarqua la voix
dans la tête de Zachari, qui obtempéra quand
même.

Ce qui devait arriver arriva. Donovan surgit
au moment même où ils terminaient leur
besogne.

— Est-ce que je peux savoir où vous étiez,
tout l'après-midi? lança-t-il d'un air contrarié.

— On est allés manger dehors, pis après ça on
est rentrés, pis là j'ai échappé ma bouteille. Fait
qu'on est en train de ramasser les dégâts, expliqua Meg, le plus naturellement du monde, en
continuant d'entasser les éclats de verre sur son
carton.

— Et où est-ce que vous avez pris ce qu'y
fallait pour ramasser tout ça? s'entêta le prof, pas
du tout convaincu.

— Ben, là! Dans le bureau du concierge!

— Ça vous tentait pas d'avertir quelqu'un, au
lieu de ramasser vous-mêmes?

— Y en n'a pus, de concierge. On savait pas
trop à qui demander. Fait qu'on l'a fait nous-
mêmes… On n'aurait pas dû?

— Pis le reste du temps, vous dites que vous
étiez dehors?

— Ouain. Juste en arrière, où y a l'entrée des
cours de théâtre. On a mangé là. Pourquoi?

— … Pour rien! Qu'est-ce que vous avez dans
vos poches?

— Rien pantoute!

— Montrez-moi. Videz-les. Tout de suite.

Les deux amis n'avaient effectivement rien à cacher. Le prof observa suspicieusement la fiole pendant un instant. Meg lui dit :

— Fallait ramasser du sable pour le cours de science.

L'homme rendit l'objet au garçon et lança :

— Vous deux, là… Je vous fais pas confiance. J'vous ai à l'œil, les avertit l'enseignant avant de s'éloigner d'une démarche saccadée.

Il était visiblement fâché de ne pas avoir réussi à les prendre en flagrant délit, de n'avoir rien à leur reprocher. La minifille eut un sourire en coin, machiavélique[16]. Zach, de son côté, arrivait à peine à respirer, tellement la nervosité le rendait fou. Ses jambes menaçaient de paralyser, parce que le sang, trop occupé à faire demi-tour dans les veines de son corps, ne leur fournissait plus assez d'énergie. Heureusement que Meg ne lui avait pas demandé de tenir le carton, parce qu'il aurait tout échappé par terre à force de trembler de tous ses membres.

— Comment tu fais ? ! demanda-t-il, une fois le prof parti.

---

16. Le terme « machiavélique » vient de Nicholas Machiavel, qui était un monsieur qui travaillait en politique. Il se foutait un peu de la façon de faire les choses, tant qu'il atteignait son but. Ceci n'est pas une note en bas de page très drôle, mais en revanche, elle est vraiment instructive. Quand vous allez gagner le Prix De La Personne La plus Intelligente Au Monde (le PDLPLPIAM), vous allez pouvoir dire : « Je remercie Cathleen Rouleau d'avoir écrit la définition de "machiavélique", dans un livre pour adolescents. Sans elle, je serais franchement moins intelligent ! Et sans elle, aussi, je n'aurais jamais pu dire au président des États-Unis que la terre ne contient que trois pour cent d'eau douce. » (NDA)

— Quoi?

— Pour mentir de même. T'as même pas hésité, t'as même pas réfléchi pendant que tu parlais!

— C'parce que je l'avais fait avant.

— Quand ça?

— Ben, dans le débarras! Penses-tu vraiment qu'on a pris ces affaires-là juste pour faire un dégât pour le fun?

— Ben non, mais…

— Si on est pour faire des affaires qu'on est pas censés faire, on est aussi ben d'avoir une stratégie, sinon on va se retrouver avec des problèmes.

— Wow. T'es *hot*…

— Je l'sais.

Et comme ça, sans plus de formalités, elle déposa les déchets dans la poubelle et ramena le balai dans le bureau du concierge.

— On le remet pas dans la pièce de?…

— Ben non, Zed! On a dit qu'on l'avait pris ici, fait que c'est ici qu'on le rapporte… Voyons, t'es donc ben pas vite aujourd'hui!

Cette fille était trop forte. Trop intelligente. Ça faisait presque peur. Elle calculait tout, toujours. Ils refermaient la porte de la conciergerie quand Émile vint se planter devant eux, bras croisés. Meg leva un sourcil. Lui, elle ne l'avait pas calculé.

BIEN JOUÉ !

— Qu'est-ce tu veux ? demanda la minifille, en regardant bêtement le sportif.

Émile renifla.

— Faut que j'vous parle, laissa-t-il tomber.

— Vas-y.

Après un moment d'hésitation, il se lança :

— J'm'excuse pour l'affaire de la piscine. Je l'savais pas que vous cherchiez quelque chose qui avait rapport avec Eugène. J'pensais que vous étiez juste là pas rapport… Genre, pour vous cacher de nous autres, pis vu que j'étais frustré, j'vous ai *stoolés* au premier adulte que j'ai vu. Pis ç'a adonné que c'était Donovan. Mais j'voulais pas l'aider à trouver la formule, j'vous le jure ! J'ai promis à Euge que je le dirais jamais à personne, pis moi j'ai rien qu'une parole, OK ? !

Un moment de silence suivit cette déclaration intense. Meg et Zach ne savaient pas exactement comment réagir, eux qui s'attendaient à une crise, à une attaque, à une insulte ; à tout sauf à des excuses.

— Nous autres, on s'excuse pour l'affaire de Daniel, répondit finalement la jeune fille, sobrement. On n'aurait pas dû vous le cacher.

— C'est juste que su'l coup, on n'a pas trop su quoi faire pis on a eu peur, fait que…, ajouta Zachari.

— Oui, mais même à ça, c'était pas une bonne raison. On n'aurait pas dû, c'est tout.

Aucun des trois ne sut quoi ajouter. Pour éviter de faire face au malaise, ils allèrent se réfugier dans la vision réconfortante de leurs souliers.

— Ouain, ben j'pense qu'on est quittes, là? fit Émile après quelques secondes.

— Ouain… On est quittes.

Le reste du groupe surgit au même moment, sorti de nulle part.

— C'est-tu réglé, là? demanda Jade.

— Ouais.

— Yééééé!!!

— Attendez! les stoppa Alice.

Ils se retournèrent vers elle, un peu étonnés. Cette fille ne parlait que rarement. Et encore moins aussi fort et sur un ton aussi sérieux.

— Pendant qu'on est là, je veux vous dire que c'est moi qui ai dit à Meg pis Zach que c'était Émile qui les avait *stoolés*.

— Quoi?! s'exclama le concerné.

— C'est parce que moi, j'avais pensé que vous étiez peut-être en train de chercher quelque chose qui avait rapport avec Eugène. Pis là, si Émile y se mettait à vous *stooler* tout le temps, ça pouvait devenir dangereux que Donovan y trouve la formule avant nous…

À mesure qu'elle se confessait, ses joues se teintaient graduellement de rouge.

— … pis moi, continua-t-elle, ça me fait peur qu'on n'arrive pas à détruire la formule, à cause de l'histoire des guerres. J'veux pas qu'y ait de guerre ! Pis je veux pas que l'école ferme, pis que le père à Mégane s'en aille en prison, pis qu'y ait plein de gens qui meurent…

Les larmes lui montaient maintenant aux yeux. La pauvre était réellement terrifiée. Et elle se sentait vraiment mal d'avoir trahi Émile. Celui-ci mit une main sur son épaule pour la rassurer.

— C'est correct. Dans le fond, si t'avais pas fait ça, on serait pas en train de s'excuser, aujourd'hui, à cause que l'autre a m'aurait pas sacré une volée…

En disant ces mots, il pointa Meg de son menton, sur lequel une légère tache bleue lui rappellerait durant encore quelques jours cette humiliation publique.

— OK, ben là, ça veut dire qu'à partir de maintenant, on se cache pus rien ? s'assura Maggie.

— C'est ça, confirma Zach. Pus rien.

— Ouais, acquiesça la fille gênée.

— Ah ben d'abord, si on se cache pus rien, y faut que j'vous dise que j'ai vraiment envie de caca, lança Joël.

— OUAAAAACHE !!! crièrent les autres, tous en même temps.

— Ha, ha, ha ! C't'une joke !

Un rire général vint sceller la réconciliation, juste au moment où la cloche sonnait.

— Heille, connectez-vous à soir, on va vous dire c'qu'on a trouvé, annonça Zachari.

— La formule ?! espéra Alice.

— Non, mais on a trouvé des affaires. À ce soir !

Ils se séparèrent, le cœur un peu plus léger.

CHAPITRE 19

RÉUNION AU SOMMET

LaFée♥ vient de se joindre à la conversation

• LaFée♥ dit :

Allô ?

• LaFée♥ dit :

Ah merde, j'suis toute seule.

• LaFée♥ dit :

Hahahahahahahaha ! ! Je parle toute seule !

• LaFée♥ dit :

Allô Maggie !

• LaFée♥ dit :

Heille, salut, moi, ça va ?

• LaFée♥ dit :

Oui, super ! J'ai mangé de la lasagne pour souper et c'est mon repas préféré !

• LaFée♥ dit :

HEIN ! MOI AUSSI ! ! ! ! ! !

• LaFée♥ dit :

Hahahahaha, j'ai pas rapport ! !

• LaFée♥ dit :

Blablablablablablablabla...... voyons c'est ben looooooong !

*Zach vient de se joindre à la conversation

• LaFée♥ dit :

Bon enfin ! ! ! J'étais en train de me parler toute seule ! hahaha !

• Zach dit :

quoi ?

• LaFée♥ dit :

Laisse faire... Meg est tu avec toi ?

• Zach dit :

oui

*Wizzard13 vient de se joindre à la conversation

• Wizzard13 dit :

Yo

*Olfacman vient de se connecter

*Jadistounette vient de se connecter

• Jadistounette dit :

Saluuuuuuut ! !

*Alice vient de se connecter

• LaFée♥ dit :

OK, tout le monde est là ! Qu'est-ce que vous avez trouvé ?

• Zach dit :

Les dessin du tatou, on pense que c'est des symboles.

• Olfacman dit :

J comprend pas.

• Zach dit :

Les triangle. Ça veut dire eau-terre-air-feu. On a tchèqué sur internet.

• Jadistounette dit :

Ah ouain? Mais ça veut dire koi? K'est-ce k'on est supposé faire avek ça?

• Zach dit:

Meg pense que

• Wizzard13 dit:

Koi?

• LaFée♥ dit:

Que quoi, Zach?

• Zach dit:

1 sec

• Zach dit:

Meg a pense qu'on a trouvez un indice

• Jadistounette dit:

POUR VRAI?????????

• LaFée♥ dit:

C'est quoi?

• Zach dit:

on le sait pas à cause qu'on a failli se faire pognez pis a l'a cachez dans le débarras

• Alice dit:

OK, je comprends rien, là!

• Zach dit:

le tatou du concierge, c'était des dessins qui veulent dire EAU TERRE AIR FEU. On pense... pis Meg a trouvez une envelope dans la ventilation

• Wizzard13 dit:

Ds ventilation??

• Zach dit:

on a pas eu le choix de rentrer dans les tuyaux de ventilation pour se sauvez de Donovan pis Daniel!

• Jadistounette dit:
Tu veux dire ke vous avez marché
dans le plafond pareil komme dans
les films?

• Zach dit:
oui

• Wizzard13 dit:
TROP KOOL!

• Olfacman dit:
OK mais attendé! C'est koi le rapport avec
eau terre air feu?

• LaFée♥ dit:
Ben la ventilation. C'est par là que l'AIR
passe! (Pis en passant, «attendez» ça
s'écrit avec un z... «vous attendez»)

• Olfacman dit:
Ça veut dire que les autre indice y seraient
dans quelque chose qui a rapport avec
l'eau, le feu pis la terre?

• LaFée♥ dit:
L'eau! C'est pour ça que vous étiez à la
piscine!

• Zach dit:
oui, sauf que l'eau, Donovan l'a déjà trouvez, celui-là

• Jadistounette dit:
KOI????????

• Olfacman dit:
Pour vrai?

• Alice dit:
Ah non!

• Zach dit:

oui, on la entendu le dire à Daniel. Y paraît
que c'est une plaque de marbe avec de quoi
d'écrient dessus

• LaFée♥ dit :

Tu veux dire du marbRe ?

• Zach dit :

oui, avec de quoi d'écrient dessus. Meg a
dit qui va falloir allez le cherchez

• Alice dit :

Comment ?

• Olfacman dit :

Pis les autres, terre pis feu, ça serait où ?

• Zach dit :

on le sait pas

• LaFée♥ dit :

Y a du feu dans la cuisine...

• Zach dit :

oui on y a pensez

• Alice dit :

Et il y a de la terre dans les plantes ?

• LaFée♥ dit :

Oui, pis y en a aussi dans l'aquarium dans
le cours de bio !

• Jadistounette dit :

Ark, tu veux dire l'akarium avek les
fourmis dedans ?

• LaFée♥ dit :

Oui...

• Jadistounette dit :

ARK ! C'est pas moi ki va aller fouiller
là-dedans en tous kas !

• Zach dit :

Meg a dit que demain pendant le diner faudrait faire une divertion.

• Wizzard13 dit :

Pk ?

• Zach dit :

Daniel y pense qu'on est encore en chicane. Faudrait que quelqu'un ayillent dans son bureau pis qu'y le retiene pendant que le reste de la gagne fouille dans les plantes

• Alice dit :

Mais tout le monde va nous voir

• Zach dit :

on a pas le chois. On va se mettre deux par deux pis on va faire le tour des plante de l'école. La seule personne qui faut faire attention : c'est Bob.

• Alice dit :

Pis si quelqu'un nous demande qu'est-ce qu'on fait ?

• Zach dit :

on y répond pas, pis on l'envoille promenez (Meg qui fait dire ça)

• Wizzard13 dit :

LOL

• Zach dit :

Meg a dit qu'a va faire la divertion

• LaFée♥ dit :

Ça s'écrit DIVERSION, en passant, Zach.

• Zach dit :

diversion.

• Olfacman dit :

OK ben c'est régler. À midi devant la case à Jade demain.

• Zach dit :

Nous autre on se log off, salut

• LaFée♥ dit :

Moi aussi... Faut que je fasse mon devoir de français :(

• Wizzard13 dit :

Arete de fair semblan k t'm po sa !

• LaFée♥ dit :

:P

*Zach vient de se déconnecter

• Alice dit :

Hihihi ! ! ! Moi aussi je m'en vais, bonne soirée ! xx

*Alice vient de se déconnecter

*Wizzard13 vient de se déconnecter

* LaFée♥ vient de se déconnecter

• Jadistounette dit :

Émile ?

• Olfacman dit :

Koi ?

• Jadistounette dit :

LoL, k'est-ce tu fais ?

• Olfacman dit :

Rien, toi ?

• Jadistounette dit :

Pas grand chose

• Jadistounette dit :

J'aimerais ça ékouter la tv, mais mes parents sont dessus, pis y ékoutent une émission trop plate !

• Olfacman dit :

lol. viens l'écouter cher nous :P

• Jadistounette dit :

LOL. Ouain.

• Olfacman dit :

Pour vrai...

• Jadistounette dit :

Tu restes ben trop loin

• Olfacman dit :

Dommage

• Olfacman dit :

On aurait pu l'écouter ensemble.

• Jadistounette dit :

:)

• Olfacman dit :

Téléphone. Faut que je te laisse, bye

*Olfacman vient de se déconnecter

• Jadistounette dit :

:'(

CHAPITRE 20

LA PASSE DU COCHON QUI TOUSSE

Tel que convenu, le lendemain midi, tout le monde se retrouva devant le casier de Jade. Zach prévint le reste du groupe de faire le plus vite possible, parce que tôt ou tard, un prof ou un surveillant serait averti et viendrait arrêter leurs recherches. Ils se séparèrent dans le but d'accomplir chacun sa mission. La minifille fouilla dans son sac pour en sortir une petite calculatrice, qu'elle appuya contre son oreille. L'illusion était parfaite. N'importe qui la croisant était persuadé que l'adolescente parlait avec un cellulaire. Elle se rendit ensuite à l'agora, où Jessie-Ann et ses suiveuses étaient en train de dîner. Comme d'habitude. Meg feignit de ne pas les voir et alla s'asseoir un peu plus loin, en faisant semblant de parler à une amie :

— Tu penses ? Non... Le nouveau directeur est trop cave pour... De quoi ? Non, le NOUVEAU directeur. J'parlerais pas de mon père de même, franchement ! Ouain... Je l'sais pas ! De toute façon, y restera pas longtemps... Ben, parce que j'vais m'arranger pour qu'y s'en aille...

La rousse et ses amies arrêtèrent graduellement de parler et se mirent à écouter la conversation.

Flairant l'occasion de faire du trouble, les filles se sourirent, sans aucune subtilité. Meg fit mine de ne se rendre compte de rien:

— J'suis vraiment écœurée de lui... J'pense que j'vais aller crever les pneus de son char... Mets-en que j'suis *game*, pour qui tu me prends? ... Ah ouain?! Ben j'vais y aller drette là! Y le saura jamais: de toute façon, y est toujours dans son bureau l'après-midi.

Elle se leva en continuant sa fausse discussion et quitta la salle en sortant un petit canif de sa poche. Ce dernier, trouvé dans un magasin à rabais, n'avait aucune valeur. Elle marcha rapidement vers la sortie, suivie du regard par la grande échalote et sa troupe. Une fois dehors, le couteau fut rapidement expédié dans la première poubelle à portée de vue, et sa calculatrice, rangée dans son sac. Après une trentaine de secondes d'attente, elle rouvrit la porte de quelques centimètres pour regarder dans l'école. Jessie-Ann et ses amies n'étaient plus dans l'agora. Elles avaient mordu à l'hameçon. Bien joué. La minifille rentra aussitôt et alla s'asseoir sur un banc situé directement en face du secrétariat. Elle sortit son lunch et mangea tranquillement. Daniel jaillit de son bureau à ce moment-là d'un pas pressé, entouré du clan des méchantes. Ces dernières parlaient toutes en même temps pour expliquer ce qu'elles avaient entendu. En arrivant dans le corridor, la petite horde s'arrêta net.

— Mademoiselle Létourneau, puis-je savoir ce que vous faites là? demanda le directeur.

— Je mange… Quoi, j'ai pas le droit?

— Et où est-ce que vous étiez tout à l'heure?

— Ben, ici! Pourquoi?!

— Menteuse! siffla une des suiveuses. On t'a VUE tantôt, tu parlais AU CELLULAIRE avec quelqu'un, pis tu y disais que t'allais crever ses pneus!

— Au *cellulaire*?! fit le directeur, fier de pouvoir ajouter une offense à la liste des accusations. On n'a pas le droit d'avoir un cellulaire dans l'école, vous le savez, ça!

— ZÉRO! objecta Meg.

— OUI! s'obstina l'autre fille. Pis en plus, y a un CANIF dans ses poches!

— Une *arme dans l'école*?! répéta le directeur, de plus en plus enjoué à l'idée de punir au-delà des limites cette élève qu'il détestait tant.

— J'ai pas de canif PANTOUTE!

— Ah non? D'abord, videz donc vos poches, jeune fille!

Elle retourna celles-ci à l'envers afin de bien montrer qu'elles étaient vides.

— Dans son sac! lança Jessie-Ann.

Une fois de plus, on fouilla le sac à dos de Meg. Mais évidemment, celui-ci ne contenait rien de compromettant. Daniel décida même d'aller fouiller le casier de la suspecte pour en avoir le cœur net. Il en referma la porte, déçu.

Sont tellement niaiseuses! fit la voix dans la tête de la minifille, en regardant Jessie-Ann et ses amies, qui s'acharnaient sur son cas sans comprendre que tout allait bientôt se retourner contre elles.

— Vous allez venir avec moi quand même, décida le directeur. On va vérifier l'état de mon auto, et si elle est abîmée de quelque façon que ce soit, je vous avertis, mademoiselle Létourneau : ça ira pas bien pour vous.

Aucun dommage n'avait été fait à la voiture.

— Bon, dit-il, visiblement déçu. Vous pouvez retourner à votre dîner.

— Euh… Attendez, là, intervint Meg. Je viens de me faire accuser pour rien, pis eux autres, y va rien leur arriver ?

Daniel eut une réaction de surprise avant de se retourner vers la grande tête rousse et sa troupe. S'il ne les punissait pas, l'histoire allait se propager dans l'école et, par la suite, plus personne ne respecterait son autorité.

— Effectivement…, céda-t-il, à contrecoeur. Vous cinq : retenue ce soir. Vous allez me copier cent fois la phrase : « Je ne mentirai plus au directeur. »

Jessie-Ann ouvrit la bouche, comme si l'injustice du monde entier venait de lui tomber sur la tête.

— Venez avec moi, ordonna l'homme sans trop d'entrain. Je vais remplir une feuille de convocation.

Il se dirigea vers le secrétariat, imité par les fautives. Juste avant d'entrer dans le bureau, Jessie-Ann jeta un dernier coup d'œil vers Meg, qui souriait en coin. Cette dernière porta sa main à son visage et plia trois doigts de façon à ne laisser que le pouce et l'index en l'air, en forme de L, qu'elle colla sur son front.

— (*Loser!*) articula la minifille.

Une pierre, deux coups. Grâce à son plan diabolique, elle venait de détourner l'attention du directeur, tout en faisant payer son ennemie. Et tout ça, sans même la toucher. Meg réalisa qu'elle commençait à s'amuser dans cette bataille. Mais il lui restait encore la guerre à gagner…

Zachari et Joël revinrent à ce moment de leur mission.

— On n'a rien trouvé, annonça le blond dodu, abattu.

Jade et Émile arrivèrent à leur tour, tenant le même discours. Leurs recherches n'avaient mené nulle part. Même son de cloche de la part de Maggie et d'Alice.

— On est allés partout où c'qui avait de la terre !

— Partout, sauf sur le terrain de l'école…, fit Émile, lugubre.

— Ben là ! Si c'est caché là, on le trouvera jamais ! se plaignit la belle du groupe.

— Qu'est-ce qu'on fait ? demanda Maggie.

— On va attendre pour celui-là, décida Zach. Peut-être que les autres indices vont nous aider. Là, y va falloir aller chercher celui dans le débarras, pis celui dans le bureau du directeur, pis penser à des places où y a du feu.

Un découragement soudain s'empara d'eux. Rien n'avançait. Et ils venaient de perdre un après-midi complet.

— La porte, je l'ai débarrée en sortant, mais je l'ai jamais rebarrée…, lança soudain Meg.

— Hein ?

— La porte du débarras !

— On y va ! déclara Jade.

En effet, il fut facile de pénétrer dans la petite pièce, où toutes sortes d'objets étaient entassés. En un rien de temps, l'indice fut récupéré, et tout le monde retourna au point de rendez-vous habituel. Ni vu ni connu. Zach ouvrit l'enveloppe d'une main nerveuse. Ils étaient tous très excités de découvrir ce qui se cachait à l'intérieur. Ce qu'elle contenait allait changer leur existence. Les propulser dans l'aventure. Leur permettre d'aller de l'avant dans cette quête quasi impossible, mais pourtant vitale.

— Pis ? demanda Jade.

— …

— Zed ! s'impatienta la minifille.

— Y a rien.

— Hein ?

— Y a rien !!!

Le papier qu'il venait tout juste de déplier ne contenait absolument rien. Aucune écriture, aucun dessin, pas même un semblant d'information utile. Rien. La feuille, jaunie par le temps, semblait même se moquer d'eux tellement elle était vide.

— Ben là ! se révolta Joël. Ça servait à quoi, d'abord, de mettre ça là ? !

Bonne question. Pourquoi coller une enveloppe dans le système de ventilation si son contenu se résumait à rien ?

— Peut-être que l'encre s'est effacée avec le temps ? proposa Alice d'une petite voix.

— Ouain, ben ça nous aide pas, ça! fit Émile, désappointé.

La cloche allait bientôt sonner, et les sept amis se séparèrent en silence. Chacun d'eux ravala une énorme boule de tristesse et d'impuissance. Émile, hors de lui, donna un coup de poing dans un casier, ce qui fit sursauter quelques élèves qui ne comprenaient pas pourquoi il s'énervait. Meg laissa tomber le papier au fond de son sac. Tant pis si quelqu'un le trouvait en fouillant, il n'y avait rien à voir de toute façon.

CHAPITRE 21

ET LA LUMIÈRE FUT

Le téléphone sonna. Le téléphone sonnait rarement chez les Létourneau, mais ce soir-là, il sonnait comme seul un téléphone sait sonner.

— Zachariii ! cria Jacques depuis le bas de l'escalier.

Les deux adolescents discutaient dans la chambre d'amis depuis une bonne heure déjà. Dominic leur tenait compagnie. À genoux sur le matelas derrière sa sœur, il lui tortillait des mèches de cheveux en murmurant des phrases auxquelles personne ne portait attention.

— Oui, allô ?

— Allô, Tom-Tom !

— Maman ?! Ça va ?

— Oui, oui, t'inquiète pas ! Je sais que c'est toi qui m'appelles d'habitude, mais c'est LÀ que j'avais le goût de te parler !

Linda prenait du mieux. Les jours étaient longs à l'hôpital, loin de son fils. Aujourd'hui, avait eu lieu sa première séance de physiothérapie, pour réapprendre à marcher. Après plusieurs mois passés au lit, les muscles de ses jambes avaient perdu leur force et elle ne pouvait pratiquement plus se tenir debout.

— J'suis tout énervée : le docteur dit que je devrais être capable de retourner à la maison dans quelques semaines ! J'ai tellement hâte ! As-tu hâte ?

— Oui, c'est sûr !

— Pis, ta journée ?

Ils se parlaient chaque jour, et chaque fois, sa mère voulait connaître le déroulement de sa journée dans les moindres détails. Zach lui racontait ses cours, parlait un peu de ses amis, mais passait sous silence la mission. Premièrement parce qu'il avait promis de ne jamais en parler à personne, ce qui incluait sa mère, mais aussi parce que celle-ci ne comprendrait pas. En effet, comment expliquer à un parent qu'on s'est promené dans le système de ventilation, que le nouveau directeur a kidnappé des élèves l'année précédente et que si on ne retrouve pas la formule rajeunissante d'un scientifique, le monde entier court un grave danger ?

Linda ne le croirait jamais. Et si elle le croyait, une panique incontrôlable s'installerait chez elle et Zachari serait incapable de contenir la furie de sa mère effrayée. Non, il ne pouvait pas lui en parler. Même si, parfois, ce secret pesait lourd sur ses épaules. Au moins, il n'était pas seul dans toute cette histoire.

Il raccrocha en souriant tristement. Elle lui manquait. Le téléphone sonna de nouveau.

— Allô ?

— ZACH !

Maggie semblait complètement affolée, à l'autre bout du fil.

— Avez-vous jeté l'indice ? ? ?

— Tu veux dire le papier avec rien dessus ?

— Oui, l'avez-vous jeté ?

— Euh… Je le sais pas.

— Ben va voir ! ! !

Meg ne l'avait pas jeté. Le papier traînait dans son sac, chiffonné au milieu des livres et des cahiers d'exercices.

— Ahhhhh ! soupira de soulagement l'amie au téléphone.

— Pourquoi ? Qu'est-ce qu'y a ? !

— J'pense que j'ai trouvé !

— Trouvé quoi ? !

Zach gesticula en direction de la minifille, qui décrocha un deuxième appareil pour écouter la conversation.

— Qu'est-ce qu'y a ? fit-elle un peu bêtement.

— L'encre ! Je pense que c'est de l'encre invisible ! Fred nous avait parlé de ça l'année passée !

— Hein ? Non ! s'exclama Zachari.

— Ben oui ! Pendant un cours, y nous expliquait les réactions chimiques, pis y a parlé de l'encre invisible ! Ah… Mais c'est peut-être la journée que t'es allé voir ta mère à l'hôpital… Ou t'écoutais pas, comme d'habitude.

— Heille, J'ÉCOUTE, dans le cours de Fred ! se défendit le garçon.

— OK, mais c'est quoi l'affaire, là ? demanda Meg.

— Le concierge a peut-être pris de l'encre invisible.

— Attends, là…, intervint Zach. C'est *Eugène*, le scientifique, pas le concierge. Comment tu veux qu'y sache comment faire de l'encre invisible?

— Non, mais attends, tu comprends pas, c'est super facile! T'as juste à prendre, genre… du lait! Ou du jus de citron! Tu trempes un cure-dent dans du lait, pis t'écris ce que t'as à écrire sur une feuille de papier, pis là, personne peut le voir!

— Mais c'est quoi le rapport d'écrire avec de l'encre que personne peut voir?

— Ben là!!! Y a un truc, nono! fit Maggie, découragée. T'as juste à faire brûler la feuille pis le message va apparaître.

— Ben oui, mais si je fais brûler la feuille, le message va brûler lui avec!

— Tu l' brûles pas au complet, Zed.

— C'est ça! Tu fais juste la noircir, pis le message va apparaître comme par magie!

— Tu penses?

— OUI!!! Grouillez-vous!

Meg lissa la feuille et alla dénicher une chandelle dans un tiroir de la cuisine. Elle l'alluma et plaça le papier juste au-dessus. Un silence nerveux planait dans la petite chambre. Leur amie attendait au bout du fil. Son oreille était suspendue au moindre son pouvant venir de l'autre côté.

Même Dominic observait ce qui allait se passer. Ils étaient tous penchés sur la flamme, à attendre que quelque chose se produise.

— LÀ! cria soudain Zach en faisant sursauter l'enfant.

— HEIN?! POUR VRAI?! entendit-on dans le téléphone.

Des mots commençaient à se former sur la page jaunie. Le cœur de tout le monde se mit à battre fort et vite.

— C'est quoi, c'est quoi??? s'impatienta Maggie.

— C'est marqué : « Partna »…

— Hein?

— Attends! … « Partnam »!

— C'est tout?

— J'pense que oui… Oh non, attends!!! Y a d'autre chose en avant! C'est écrit… « Freda P ».

— Y a rien d'autre? Vous êtes sûrs?

— Non, y a rien d'autre. « Freda P. Partnam. » C'est tout.

— C'est qui, ça, Freda P. Partnam? fit Meg.

— Je l'sais pas.

— On dirait un nom d'une autre nationalité, observa Zach.

— Heille, là, j'espère que sa maudite formule est pas cachée genre au Pakistan, parce que ça va être dur en TA, de la r'trouver!!! lança leur amie, dans le combiné.

Aucun membre du personnel de l'école ne portait ce nom. Aucun élève non plus.

— À ce qu'on sache…

— J'avoue qu'on connaît pas le nom de TOUT le monde.

— Pis c'est peut-être quelqu'un qui est PUS à l'école, aussi! souleva Maggie. Genre, un ancien élève.

— Comment on peut le savoir ? On réussira jamais à aller fouiller dans les documents de l'école.

— Je l'sais ! entendit-on, en provenance du téléphone. On a juste à arriver au secrétariat avec une lettre pour cette personne-là, « supposément » de la part de nos parents. Comme ça, y vont nous le dire si y en a une.

— OK. Tu vas l'écrire ?

— Ouais, j'm'en occupe.

— Nous autres, on va envoyer un *email* pour le dire aux autres.

Meg et Zach passèrent le reste de la soirée à parler du nom, de ce qui leur restait à faire et de la suite des événements.

— Heille, vu qu'on a pris du feu pour faire apparaître le message secret, tu penses-tu qu'y resterait juste l'indice de la terre à trouver ? demanda Zachari.

— Je l'sais pas, répondit son amie après avoir réfléchi. On devrait quand même chercher comme si y en avait un autre.

— Ouain. De toute façon, j'imagine qu'on va le savoir assez vite si y en manque un.

— Ouain.

— Ouain.

CHAPITRE 22

FEU, FEU, JOLI FEU

— Salut! Mon père m'a donné ça en me disant de l'apporter au secrétariat pour quelqu'un qui s'appelle Freda P. Partnam.

Jade s'était proposée pour «livrer» la lettre. Zachari n'avait pas voulu s'y rendre, sachant très bien que Jocelyne refuserait de l'écouter et le ferait attendre dans un coin jusqu'à la fin de la vie. Inutile de compter sur Joël, qui se mettrait en position de fœtus en suçant son pouce dès le moindre problème; Émile ne mentait pas très bien, Meg en avait assez fait avec la diversion de la veille, et Alice… Pour une raison obscure, on ne pensait jamais à Alice quand venait le temps de faire un coup pendable.

— Mon doux, ce nom-là me dit rien, répondit la femme aux cheveux roux.

— Vous êtes sûre? Parce que mon père a dit qu'y fallait absolument que la fille reçoive ça.

— Non, y a aucune Freda P. Partnam, j'suis certaine.

— Même dans les élèves?

— Même dans les élèves.

— Même dans les anciens élèves?

— Arf… Ça se peut, mais j'ai pas de souvenir d'une élève qui s'appelait comme ça.

— Hmm. C'est bizarre. Est-ce que je peux appeler mon père, s'il vous plaît? demanda Jade en faisant son plus beau sourire.

— Oui, tiens.

Jocelyne lui passa le téléphone. La jeune fille savait très bien que personne ne répondrait à la maison, puisque ses deux parents travaillaient dans la journée. L'appel n'était pas important. Il servait à éloigner tout soupçon. Si la secrétaire pensait que Jade lui jouait un tour ou essayait seulement d'obtenir secrètement des informations, ce coup de fil la convaincrait du contraire.

— Oui, allô? entendit-elle répondre.

— Euh… Pa… Papa?! fit l'adolescente, surprise.

— Oui.

— Euh!…

— Qu'est-ce qui se passe, est-ce que tout va bien?

— Oui-oui! C'est juste que… Je voulais savoir… La euh…

— Qu'est-ce qu'y a Jade? Es-tu sûre que t'es correcte?

— Oui, oui, ça va super bien!

Pas le choix: il fallait poser la question, même si son père n'allait rien y comprendre. Elle s'éloigna un peu du comptoir, pour éviter que la secrétaire entende les réponses, et se lança:

— La lettre, là, pour Freda…

— Pardon?

— C'est parce qu'y disent qu'y a pas de Freda P. Partnam à l'école.

— Hein? De quoi tu parles, Jade?!

— Ben c'est ça, je comprends pas moi non plus!

— Quoi?! Jade! Qu'est-ce que tu me dis?

— R'garde, laisse faire, on en reparlera ce soir, faut que je raccroche, là!

— OK, mais… Je comprends vraiment pas!

— Ce soir!… s'obstina-t-elle.

— OK!

— OK!

— Bye?

— C'est ça!

Il raccrocha, embarrassé, et Jade continua toute seule, pour le spectacle:

— Non, non! C'est juste que la lettre que tu voulais que je donne à Freda-machinchose, là… Ben y a personne de ce nom-là à l'école, j'pense que tu t'es trompé! Tu vas regarder dans tes affaires? OK. OK, à ce soir! Bye! Moi aussi je t'aime, papa!

L'adolescente rendit le combiné à la secrétaire en priant pour que sa nervosité ne paraisse pas.

— C'est correct? demanda Jocelyne.

— Oui, répondit Jade d'une voix assez haut perchée. J'pense qu'y s'agissait d'une erreur, c'est tout. J'vais rapporter la lettre chez nous, pis y va vérifier le nom.

— T'es certaine? Si tu veux, tu peux la laisser ici, moi, je vais m'informer pour voir si ça serait pas quelqu'un qui devait passer la prendre, ou…

— Non, non, c'est beau! J'vais m'arranger avec mon père!

— C'est comme tu veux…

— Merci!

La belle sortit du secrétariat en tremblant. Tous ses muscles semblaient affaiblis par la performance qu'elle venait d'offrir. Ouf! Improviser n'était pas facile…

Le groupe fut un peu déçu de savoir qu'aucune Freda ne se trouvait dans l'école. À la rigueur, si Carmelle avait pu les orienter un peu, en leur disant que la femme qu'ils cherchaient avait DÉJÀ travaillé à Chemin-Joseph, ou quelque chose du genre… Mais là, aucune piste. Ce qui signifiait : un problème de plus à régler. Et les vacances d'été arrivaient bientôt. Ce qui mettait plus de pression sur les sept compagnons, qui devaient arriver à tout faire AVANT la fin des classes. Parce que l'établissement serait fermé durant l'été. Donc, impossible d'y entrer.

— Ben, en tout cas, on sait que c'est pas une élève DE l'école, calcula Émile, sans trop d'entrain. Y reste juste à savoir si y en a déjà eu une qui s'appelait de même avant.

— La seule façon de le savoir, c'est de fouiller dans les vieux albums de finissants…, répondit Zach, d'un air aussi peu enjoué.

Ils se regardèrent, abattus par la charge de travail qui se trouvait devant eux. Fouiller dans ces livres prendrait des jours. Peut-être même des semaines. Temps qu'ils n'avaient pas.

— Pis qu'est-ce qu'on va faire pour celui qui est dans le bureau du directeur ? demanda Alice.

Silence. On commençait à manquer d'idées.

— Ton père a-tu encore la clé ? fit Émile en direction de Meg.

— Non. Y l'a redonnée.

Nouveau silence.

— Bon, ben… On pourrait commencer à chercher, lança Maggie.

Sans un mot, ils se dirigèrent vers la bibliothèque. L'étagère contenait en tout quarante albums de finissants.

— On réussira jamais ! se découragea Joël.

Ils s'assirent dans un coin, chacun avec une pile de livres sur les genoux, et commencèrent à les scruter un à un. Au bout de quinze minutes, Zachari releva la tête et s'adossa à son fauteuil.

Maudit ! Y aurait pas pu nous donner plus d'indices ? Du genre : un numéro de téléphone, quelque chose ? Peut-être qu'on cherche même pas la bonne affaire, là ! Freda P. Partnam… C'est tellement pas clair ! C'est comme si je disais : « On se donne rendez-vous demain, mais faut que tu devines où ! Un indice : "pictogramme" ! … » Wô ! Comment ça se fait que je connais ce mot-là, moi, « pictogramme » ? Pis ça veut dire quoi, au juste, « pictogramme » ?

Il sortit son vieux journal de bord, nota sa question, et appuya sa tête contre le dossier. Les autres paraissaient concentrés sur leur tâche.

Ça serait cool si j'étais capable de faire de la télépathie… Meg. Meg ! R'garde-moi ! MEG ! Non… Marche pas.

Ses yeux s'égarèrent sur les rayons de livres. Cette bibliothèque était vraiment magnifique. On aurait dit une salle de château. Zachari savait que toutes les écoles ne pouvaient pas se vanter d'avoir une aussi belle bibliothèque. Certaines n'en avaient pas du tout ! Mais celle-ci était vraiment spectaculaire à voir. Avec ces colonnes, ce tapis, ces vieux meubles…

Les tableaux, par exemple, y ont pas vraiment rapport. Moi, j'les enlèverais. Surtout celui du gars habillé en chasseur à côté du foy…

— WÔ.

Maggie releva la tête, imitée par les autres.

— Quoi ? fit Meg.

— Un feu ! s'exclama-t-il.

— OÙ ÇA ? s'énerva Joël en se levant d'un bond, prêt à décamper pour sauver sa vie.

— Non ! Le feu ! L'indice du feu !

Zach regarda autour. Personne ne se trouvait à proximité. Il baissa quand même la voix avant de dire :

— L'indice du feu ! Regardez la peinture, là ! Dans le foyer, y a un feu !

— Tu penses que ça serait, genre… *dans* la peinture ? demanda Jade.

— Ben… Peut-être pas dedans, mais en arrière !

— Ouf… Tu penses ?

— Ben, je l'sais pas, mais c'est du feu, non ?

— T'as raison, c'est peut-être ça ! acquiesça Émile.

L'idée paraissait étrange et poussée, mais au moins, c'était une idée. Et comme ils tournaient en rond depuis trop longtemps, autant vérifier. Ça ferait du bien à tout le monde. Un espoir se dessina soudain dans leur tête. Enfin, ils avançaient… Peut-être.

— Comment on va faire ? demanda Maggie.

— On pourrait euh… Ben, y faudrait que…

— Comme d'habitude, trancha la minifille. Y en a qui vont surveiller pendant qu'un de nous autres fait la job.

— Pas moi ! l'avertit Joël.

— On s'en doutait…, répliqua Meg, amère.

La cloche sonna.

— Merde ! fit Zachari.

L'idéal aurait été de passer à l'acte dès maintenant. Personne n'aimait l'idée de laisser un potentiel indice en place. Le mieux était de le récupérer immédiatement, afin d'éviter que quelqu'un d'autre le prenne avant eux. Mais impossible de passer inaperçu pendant une période de cours. La bibliothécaire exigerait une note du professeur justifiant leur présence dans son environnement et, sans permission, ils iraient tout droit chez le directeur, qui finirait par se douter de quelque chose et ferait fouiller la bibliothèque de fond en comble. Il valait mieux faire comme si de rien n'était et attendre. Toujours attendre…

CHAPITRE 23

LA FIN JUSTIFIE LES MOYENS

Meg et Zach discutèrent longtemps ce soir-là. Il fallait se dépêcher. La fin de l'année approchait, et avec le nom Freda P. Partnam qui ne leur disait absolument rien, ils ne savaient pas du tout vers quoi se tourner pour retrouver la fameuse formule. Eugène demeurait introuvable, et Donovan se faisait de plus en plus insistant et menaçant. Il rôdait sans cesse autour des sept amis depuis quelque temps et espionnait tous leurs faits et gestes.

— J'pense que j'ai une idée pour demain, lança Meg.

— Ah ouain ? C'est quoi ?

— Tu vas voir. Soyez juste prêts parce que vous allez pas avoir une tonne de temps.

Cette nuit-là, Zachari eut du mal à dormir. Il ne pouvait s'empêcher de penser à toute cette histoire. Son esprit construisait des hypothèses à une vitesse hallucinante. Quand vint le matin, il se leva, excité, et alla immédiatement voir Meg, qui terminait tout juste de préparer son lunch.

— Freda, là... C'est peut-être pas une personne. C'est peut-être un code. Pis peut-être que ça prend absolument les autres indices pour le comprendre. Ou peut-être que c'est LE code! T'sais, un genre de code d'accès, là? Moi, je dis qu'on devrait essayer de tout trouver avant d'essayer de comprendre. Pis pour Donovan, j'ai eu une idée! On devrait l'envoyer sur une fausse piste pour qu'y nous laisse tranquille.

— Comment?

— Ben t'sais, la cachette secrète en dessous du comptoir dans le local S-80? Y a une caméra dedans, hein? Pis comme tu disais l'autre fois, Daniel, y le sait pas qu'on est au courant qu'y a une caméra! Ben on devrait y retourner comme si on se faisait une réunion, pis là on parlerait de la formule, pis on ferait semblant qu'on sait où elle est cachée. On aurait juste à dire qu'est… je le sais pas, moi… genre, une place super loin, comme ça Donovan y s'en irait pour aller la chercher pis on aurait la paix pendant un p'tit bout. Qu'est-ce t'en penses?

La minifille ne répondit rien. Elle réfléchissait à ce que son ami venait de lui dire. C'était une idée géniale. Il fallait simplement trouver le meilleur moment pour la mettre à exécution.

— Je pars pour la journée, Lulune, l'avertit Jacques. Tu m'appelleras sur mon cellulaire si y a quelque chose.

— OK.

Il partit en trombe, au moment même où Claudie arrivait.

— Y est où mon p'tit ange?! lança-t-elle à haute voix, à travers la maison.

— Clau-diiiiie! cria Dominic en reconnaissant sa tutrice.

Il courut jusqu'à elle et se jeta dans ses bras.

— Sais-tu qu'est-ce qu'on va faire aujourd'hui? On va aller au ZOO!

— Au zoo!… répéta le garçon sans trop saisir l'ampleur du plaisir qui l'attendait.

— Y fait tellement beau aujourd'hui, dit-elle, à l'attention de Meg et Zach. J'ai pas le goût de rester en dedans! On se gâte!

Décidément, tout le monde avait des projets. Les deux adolescents auraient payé cher pour une journée de congé à profiter de la vie. Mais quelque chose de plus important les empêchait de penser au repos.

Ils auraient bien voulu continuer à discuter dans l'autobus, mais Jessie-Ann s'était installée sur le banc juste devant eux et leur faisait face, à genoux sur son siège, les bras appuyés sur le dossier. Quelque chose clochait: elle ne les menaçait pas. Ne les insultait pas. Ne se moquait pas d'eux. Elle les regardait, simplement. Sans rien dire. Ses suiveuses observaient la scène en s'échangeant des secrets. Parfois, un éclat de rire malicieux venait ponctuer leur discussion privée. Meg ne se laissa pas impressionner. Bien sûr, le comportement de la grande rouquine la dérangeait, mais elle refusait d'entrer dans son jeu, qui consistait sûrement à lui faire perdre patience. Jusqu'à l'école, Jessie-Ann resta plantée là, à les observer, sans gêne. Parfois, elle appuyait son visage sur ses mains, pour ne se relever qu'un peu plus tard.

Sans jamais se fatiguer, elle les regarda, sans leur parler, durant tout le trajet. À un certain moment, Zachari perdit patience :

— Qu'est-ce tu fais ?

La jeune fille ne répondit rien, mais continua de les dévisager de ses petits yeux de sangsue[17] en ne bougeant pas de son poste. Ce voyage en autobus fut insupportable. Et leur arrivée à l'école ne fit pas changer son attitude. Jessie-Ann suivit Meg jusqu'à son casier et, ensuite, jusqu'à son premier cours. Deux minutes avant le son de la cloche, elle partit en direction de son local de classe, et revint dès la fin de la période. Pendant la pause, elle demeura tout près du groupe avec ses amies.

— Qu'est-ce qu'a fait là, elle ? demanda Jade.

— Laissez-la faire, avertit la minifille. Peu importe ce qui arrive, laissez-la faire.

La deuxième période fut tout aussi pénible. Jessie-Ann décida de s'asseoir directement à côté de Zachari, prenant la place habituelle d'Alice, qui se retrouva à la première rangée. La grande approcha même son bureau de celui de Zachari, aux limites du raisonnable. La prof ne pouvait pas l'avertir de quoi que ce soit, parce que dans les faits, rien n'entrait en conflit avec les règlements. En fait, la prof ne remarqua même pas l'attitude de Jessie-Ann. Celle-ci gratta le bord de son bureau avec sa règle pendant une heure trente. Personne

17. C'est vraiment laid, des yeux de sangsue. C'est plein de boutons, ça crache du pus, pis ça parle dans une langue qu'on connaît pas. (NDA)

ne semblait entendre le bruit. Sauf bien entendu Zach, qui devenait complètement fou.

— Arrête donc, là, on l'a compris ton p'tit jeu ! chuchota-t-il, trop fort.

— Est-ce qu'y a un problème, au fond ? demanda Cybelle.

Alice, coincée en avant, se retourna, impuissante.

— Non… Y a pas de problème, répondit l'adolescent en serrant les dents.

Il savait que s'il dénonçait la grande grue, cette dernière l'accuserait de mentir. Et avec ses airs d'enfant parfaite et de pauvre victime innocente, les profs finissaient toujours par la croire. À l'heure du dîner, elle revint traîner autour du groupe, qui réalisa que la mission dans la bibliothèque échouerait si personne ne trouvait un moyen de s'en débarrasser. Alice se proposa pour aller avertir le directeur.

— Je pense que je suis celle qu'y remarque le moins, dit-elle doucement. Chaque fois qu'y se passe quelque chose avec nous autres, c'est Zachari ou Mégane qui se font chicaner… Peut-être que moi y va me croire, vu que j'ai jamais eu de problèmes…

Malheureusement, Daniel était hors de l'école depuis la matinée. Carmelle, la secrétaire blonde, ne savait pas quand il reviendrait.

— V'nez, fit Meg en mettant le cap sur l'infirmerie.

Évidemment, Jessie-Ann marcha dans leurs pas jusqu'au local en question. Une fois sur place, Meg dit à François :

— La fille qui est là, ça fait deux fois qu'a tombe dans les pommes, je pense qu'a va pas bien.

— C'est vrai, ça ? fit l'adulte.

— Hein, pas pantoute ! lança la rouquine.

— Écoutez-la pas, ajouta Émile, qui saisissait l'idée de son amie. On l'a vue prendre de la drogue, pis a veut pas se faire pogner ! C'est pour ça qu'a fait semblant que c'est pas vrai ! Mais pour vrai, a va vraiment pas bien ! Même que tantôt, a vomissait dans les toilettes !

— TELLEMENT PAS !!! protesta l'autre. C'est pas vrai ! Pourquoi vous faites ça ? ! J'vous ai rien fait, moi, pis vous essayez de me faire du trouble !

— En tout cas…, conclut le sportif, comme si ça lui était égal. Faites ce que vous voulez, monsieur François, mais nous autres on vous l'a dit…

L'homme ne perdit pas une seconde et ordonna à l'adolescente d'entrer dans son bureau.

Celle-ci protesta mais, incapable d'affronter l'autorité, finit par céder. Quand la porte se referma, on l'entendit se plaindre et argumenter pour se disculper des accusations qui pesaient contre elle. Ses suiveuses, ne sachant pas quoi faire sans elle, attendirent dans le corridor en essayant de trouver la phrase qui convaincrait l'infirmier de la laisser partir. Les sept amis en profitèrent pour se sauver à la bibliothèque.

— OK, les avertit Meg. On est chanceux parce qu'en plus, le directeur est pas là, pis je sais pas où c'qu'y est Donovan, mais je l'ai pas vu de la journée. Là, on n'aura pas beaucoup de temps, fait que grouillez-vous. Quand j'vais vous faire signe, vous allez tout de suite voir en arrière du tableau. Faites rien d'autre que ce que je vous dis, c'tu clair?

Ils acquiescèrent tous en même temps. Joël commençait déjà à suer de nervosité.

La minifille sortit un sac refermable de sa poche et l'ouvrit. À l'intérieur, il y avait une sorte de pâte de couleur verte.

— Zed, tu vas aller avertir la bibliothécaire, pis si tu fais pas ce que je dis, j'te jure que j'te crève les yeux en revenant.

— Qu'est-ce…, articula ce dernier, pendant que son amie ramassait la gibelotte avec ses doigts.

En une fraction de seconde, des images défilèrent comme une série de photos dans la tête de l'adolescent. Ce matin-là, pendant son exposé sur les idées que la nuit lui avait apportées, il avait VU Meg placer ce sac dans sa poche de jeans, mais n'avait pas vraiment fait attention, puisqu'il ne voulait rien oublier. Mais son subconscient avait enregistré les détails de cette scène et cette pâte verte était en fait… des petits pois écrasés!

— MEG, NOOON!!!

Trop tard. Elle venait d'enfoncer ses doigts dans sa bouche et d'ingérer l'aliment qui pouvait la faire mourir si on ne la traitait pas d'urgence avec une piqûre d'Epipen. Zach s'élança jusqu'au grand bureau et cria à la bibliothécaire:

— MON AMIE VA MOURIR!!! VIIITE!!!!

La femme faillit trébucher en se levant tellement la situation semblait urgente. Elle suivit le jeune garçon qui courait devant elle et s'arrêta net à la rangée de bandes dessinées, où la fille minuscule aux cheveux mauves s'agrippait déjà aux étagères en hoquetant pour respirer, comme un poisson hors de l'eau. Sa gorge était enflée et rouge, ainsi que ses paupières et le contour de ses yeux. Autour d'elle, ses cinq amis paniquaient, et Alice, sous le choc, commençait à pleurer. Ne faisant ni une ni deux, la costaude bibliothécaire prit Meg dans ses bras et partit en hurlant à Émile :

— TOI ! SURVEILLE LA BIBLIOTHÈQUE !

Ils restèrent figés sur place durant plusieurs secondes avant que Jade ne reprenne le contrôle de ses émotions et s'écrie :

— OK, ben c'est LÀ, là ! ! ! Vite, Joël, va fermer les portes pendant qu'y a personne !

— Pis Meg ? protesta ce dernier.

— A nous a dit de pas niaiser, fait que GO, sinon a va avoir fait ça pour rien ! GROUILLE !

Sans trop croire à ce qu'ils faisaient, ils se mirent en branle et, avec des gestes machinaux, commencèrent à fouiller. Le blond dodu arriva juste à temps devant l'entrée pour empêcher Jessie-Ann d'entrer. Celle-ci venait tout juste de réussir à sortir de l'infirmerie en expliquant à François que ceux qui l'y avaient emmenée essayaient toujours de la mettre dans l'embarras. À force de supplier et de dire : « Fais-moi tous les examens que tu veux, j'te l'JURE que j'ai rien ! Pis j'ai JAMAIS pris de drogue ! Demande à n'importe qui ! », l'homme l'avait relâchée, prenant d'abord soin de regarder attentivement ses pupilles et de prendre son pouls.

— J'avoue qu'y a rien d'anormal, avait-il dit. Mais si jamais tu te sens pas bien, je veux que tu reviennes me voir, OK ?

Puis il s'était lancé dans un grand discours sur la santé et l'importance capitale de ne jamais prendre à la légère les avertissements que nous donne notre corps. Finalement, à grands coups de « Oui-oui… Oui-oui ! », l'adolescente avait pu se libérer de son emprise.

— La bibli est fermée ! fit Joël en lui fermant la porte au nez.

Évidemment, la grande pioche ne s'en laisserait pas imposer.

— Laisse-moi rentrer ! cria-t-elle à travers la vitre. Tout le monde a le droit d'aller à bibli ! MADAME GINETTE !!!

Mme Ginette ne pouvait pas l'entendre puisqu'elle se trouvait au secrétariat avec Meg qui, à travers deux goulées d'air, avait réussi à lui faire comprendre que c'était là que se trouvait sa médication. Heureusement, cette fois, on lui injecta l'antidote avant le moment critique, et la jeune fille, bien qu'affaiblie, reprit rapidement ses couleurs et ses fonctions respiratoires.

Pendant que Jessie-Ann tirait sur la poignée pour ouvrir la porte de la bibliothèque et que Joël tirait depuis l'intérieur pour l'en empêcher, Zachari se jeta sur le tableau, qu'il enleva du mur sans prendre le temps d'attendre les autres. D'un geste rapide, il le retourna, mais dut crisper tous ses muscles pour retenir la lourde décoration, qui faillit lui glisser des mains. Heureusement, la grande fouine aux cheveux roux ne pouvait pas voir ce qui se passait pendant sa lutte acharnée contre la poignée, puisque la peinture était placée dans un angle qui ne faisait pas face à l'entrée.

— LÀ! s'écria Maggie en pointant le papier brun qui recouvrait l'arrière de l'œuvre.

Une enveloppe, semblable à celle trouvée dans le conduit d'aération, était collée dans la partie supérieure du cadre. Les oreilles du garçon luisaient de rouge tellement il se dépêchait. Il décolla le papier avec toute la douceur que ses doigts tremblants lui permettaient. Émile l'aida ensuite à remettre l'objet en place, et c'est à ce moment précis que Donovan arriva, alerté par une amie de Jessie-Ann. Le prof cogna d'un poing ferme en ordonnant d'une voix autoritaire :

— Ouvrez tout de suite !

Jade prit l'enveloppe des mains de Zachari et la glissa dans un livre choisi au hasard, qu'elle replaça ensuite sur une étagère.

Joël ouvrit à l'enseignant, qui entra prestement en faisant de grandes enjambées.

— Qu'est-ce qui se passe, ici ?! Qu'est-ce que vous faites ?! beugla-t-il sans se gêner.

La colère lui donnait un air inquiétant. On aurait dit qu'il mesurait dix mètres et que Zach avait la taille d'une fourmi devant lui.

— On… On… On…, essaya d'expliquer Joël, incapable de prononcer un seul mot.

Alice reculait à présent contre le mur, terrifiée par l'imposante présence de l'homme devant eux.

— Meg a fait une réaction allergique, pis Mme Ginette nous a dit de surveiller la bibli! dit Maggie, d'une traite, à toute vitesse.

— Pardon? fit Donovan en levant un sourcil.

Zachari respira un grand coup et, instantanément, tout en lui se calma. Il expliqua d'un air assuré:

— Notre amie est allergique aux petits pois. Y fallait l'emmener au secrétariat avant qu'a meure, pis la secrétaire nous a dit de surveiller la bibli. C'est pour ça qu'on a fermé les portes: pour que personne rentre en attendant qu'a revienne.

— Je veux voir vos poches, videz vos poches ET vos sacs, TOUT DE SUITE! réclama le prof, pas du tout convaincu.

Une veine battait à son cou. Il croisa ses bras et attendit que les adolescents s'exécutent. Jade avait bien fait de cacher l'enveloppe dans un livre. Ils commençaient à être habitués de toujours vider leurs poches, alors aucun d'eux ne prenait plus de risque.

— Vous voyez, on a rien volé, plaida Émile.

L'enseignant remua chacun de leurs cahiers, sans résultat. Déçu et humilié, il finit par leur dire:

— J'vais m'informer. Et je vous jure que si j'apprends que vous m'avez menti, c'est pas juste une retenue que vous allez avoir. Ce sont des travaux forcés. Vous aurez jamais autant souffert de toute votre vie. Sortez. Tout de suite !

Pas le choix. Ils déguerpirent sans récupérer l'indice, qui resta caché entre les pages du bouquin. Jessie-Ann et ses amies, qui étaient entrées en douce pour être témoins de l'action, se poussèrent pour laisser le groupe passer et sortirent à leur tour. Le prof referma derrière tout ce beau monde et verrouilla la porte avec le trousseau que Daniel lui avait confié avant de s'absenter pour la journée.

Ce n'est qu'après la troisième période qu'ils purent retourner à la bibliothèque chercher le précieux papier. Évidemment, la stupide rousse fatigante n'avait pas renoncé à les suivre partout, et Zachari dut l'attirer plus loin pendant que Jade récupérait l'indice.

— Oh merde ! chuchota-t-elle, énervée.

— Quoi ? demanda Maggie.

— Y est pus là !

— Hein ?

— Y est pus là ! Y est pus là ! Je le trouve pus ! ! !

CHAPITRE 24

RECULEZ DE TROIS CASES ET PASSEZ VOTRE TOUR

— Attends, Jade. Calme-toi, dit Alice en posant délicatement une main sur son épaule. Penses-y comme il faut. Est-ce que c'est vraiment dans ce livre-là que tu l'avais mis?

La belle scruta les tablettes. Tout le monde retenait son souffle pendant qu'elle reconstituait le casse-tête de sa mémoire.

— J'ai pris l'enveloppe, pis après je me suis retournée… pis j'ai pris ce livre-là.

Jessie-Ann se désintéressa rapidement de Zachari, voyant que celui-ci ne faisait rien d'autre que lire sans lui accorder d'attention, et décida d'aller embêter les autres. Au moment où la jeune fille arrivait à côté d'eux, quelque chose s'alluma dans le regard de Jade, qui posa la main sur un autre livre, un étage plus bas en déclarant:

— C'est celui-là que je cherchais.

Joël hocha la tête une fois, en serrant les lèvres. Tout le monde marcha ensuite jusqu'au comptoir, où leur amie termina les étapes d'emprunt du livre, sous la surveillance nerveuse du reste du groupe. La cloche sonna et, sans plus en reparler, ils se séparèrent pour se rendre au dernier cours. La prof de français distribua un examen, et ses élèves se mirent immédiatement à la tâche, sauf Émile et Jade. Ne pouvant plus attendre, cette dernière sortit le bouquin pour vérifier.

— *Yes !* murmura-t-elle. J'étais tellement énervée que j'me souvenais pus que j'avais changé d'idée ! Au début, je voulais le mettre dans celui que j'ai *checké* tantôt, mais j'me suis dit que si moi j'avais pensé à celui-là en premier, n'importe qui pouvait tomber dessus. Fait que je l'ai mis plus bas, juste pour être sûre… Mais j'avais peur de pas avoir pris le bon !

Elle lui montra l'enveloppe en souriant.

— Montre donc…

Chloé surprit ses deux élèves en train de s'échanger un papier.

— Tiens, tiens, tiens…, dit-elle en confisquant l'indice.

— Non ! supplia Jade.

— La prochaine fois, vous y penserez deux fois avant de vous donner des réponses.

— C'est pas des…

— On se tait, mademoiselle. C'est un examen. Compte-toi chanceuse que je te mette pas automatiquement la note zéro.

En retournant en avant de la classe, l'enseignante ouvrit l'enveloppe et déplia la feuille qui se trouvait à l'intérieur. Quelque chose tomba lourdement dans la cage thoracique de Jade et d'Émile, qui la regardaient faire sans pouvoir y changer quoi que ce soit. Une détresse insoutenable les empêcha de se concentrer sur l'examen durant tout le reste de l'heure. Chloé venait de poser les yeux sur un indice. Chloé SAVAIT quelque chose qui devait demeurer secret.

Faut juste pas qu'a le jette ou qu'a le déchire! se dit Émile. Please, please, *faites qu'on arrive à le reprendre!*

Ceux qui avaient fini l'examen avaient le droit de quitter la classe. Pour éviter de parler du problème devant tout le monde, Jade fut obligée d'attendre jusqu'à la toute fin. Et encore, un retardataire lui vola de précieuses minutes de négociation. Finalement, le dernier élève quitta les lieux et la belle se leva pour remettre sa copie, terminée depuis longtemps.

— Est-ce que ça serait possible de ravoir ce que vous m'avez confisqué, s'il vous plaît? Je l'sais que j'aurais pas dû jouer avec pendant l'examen, pis j'aurais surtout pas dû le passer à Émile, mais je vous promets que c'était pas pour tricher. C'est juste quelque chose que je voulais y montrer.

— D'ailleurs, parlons-en, de ça, fit la prof. C'est quoi, au juste?

— Ben euh… C'est euh…

— C'est?…

— C'est juste une affaire pas rapport, là. C'est un genre de j…

Il ne fallait pas dire un jeu. S'échanger « un jeu » pendant un examen ne ferait pas bonne figure.

— C'est juste que… Pour un travail d'équipe dans un autre cours, y fallait trouver des idées, pis j'en ai eu une, pis j'étais vraiment fière, fait que je voulais la montrer à Émile…

— Pour un travail d'*école*?! s'étonna l'enseignante.

— … Ouais, je… Je sais que c'est bizarre, mais c'est compliqué à expliquer…

— C'est dans quel cours?

Mais qu'est-ce qui pouvait bien être écrit sur ce foutu papier? Pourquoi Chloé insistait-elle autant?

— Éthique.

C'est tout ce que la jeune fille trouva à répondre. En éthique, il leur arrivait souvent d'étudier des choses bizarres. Et peu importe ce qui se trouvait sur la note, il s'agissait assurément de quelque chose de bizarre. Il fallait juste que la prof croie à tout ce baratin. Cette dernière hésita avant de finalement lui remettre le précieux document.

— La prochaine fois, concentre-toi donc sur MON cours, pendant que t'es dans MON local. S'il te plaît.

— Promis.

Jade saisit la feuille et quitta la classe en vitesse. Émile l'attendait dans le corridor, inquiet.

— Pis?

— Je l'ai!

— Cool!

Ils accélérèrent le pas, espérant attraper leur autobus à temps. Malheureusement, celui-ci tournait tout juste le coin de la grande allée menant à la rue.

— Merde !

— Ben au moins, on a l'indice, dit le garçon en essayant de voir le bon côté des choses.

Ils s'assirent sur le bord du trottoir, épuisés par tous ces retournements, et profitèrent de cet instant de tranquillité pour enfin jeter un coup d'œil sur le précieux papier qui venait de leur causer tant de problèmes. Leur cœur manqua un battement à la lecture de ce qui y était écrit :

« C'est aux pieds du cadavre que se trouve la Vérité. »

— Ark ! Chloé pouvait ben se poser des questions !

— Qu'est-ce ça veut dire ? demanda l'adolescent en sachant très bien que la réponse ne viendrait pas.

Un violent frisson secoua Jade. Émile lui passa un bras autour des épaules, et le temps sembla soudain s'arrêter. Elle lui sourit et baissa la tête, intimidée par ce rapprochement inattendu.

— Heille…, chuchota le garçon avec tendresse.

La belle releva une paire d'yeux incertains, dans lesquels Émile plongea les siens sans gêne. Une joyeuse brise soufflait dans les feuilles des arbres. Le chant de quelques oiseaux perçait parfois le bruit environnant, ajoutant un peu de magie au moment. Puis, aussi légèrement qu'une plume qui danse sous les caresses du vent, il avança la tête et tendit les lèvres vers celles de son amie, qui retint son souffle. Elle ferma les paupières pour goûter pleinement au rêve qui allait enfin devenir réalité et le laissa s'approcher un peu plus près. Et encore plus près. Elle pouvait maintenant sentir la chaleur de sa peau, qui lui frôlait le visage…

— Salut, vous deux.

— AAAAARRRRRRGGGGGGGHHHHH!!!

Jade n'avait pas pu retenir le cri d'effroi terrible qu'avait provoqué cette subite intrusion dans leur intimité. Donovan se trouvait là, juste derrière, debout, les mains dans ses poches. Ils ne l'avaient même pas entendu sortir ou s'approcher! Depuis combien de temps était-il là à les observer?

— Je vais prendre ça, dit l'homme en se penchant vers ses élèves.

Il enleva la feuille de papier des mains de l'adolescente, eut un sourire satisfait et s'en alla vers sa voiture sans rien ajouter. Jade et Émile restèrent assis sur la bordure du trottoir, sidérés, interdits. Des larmes montèrent dans les yeux de la jeune fille. Elle ne s'était jamais sentie aussi inutile, aussi stupide de toute sa vie. Non seulement le maudit Donovan de malheur venait de briser un moment parfait, mais en plus, il repartait en envoyant en l'air une journée complète à bûcher comme des fous pour obtenir un fichu indice maintenant disparu!

— C'est pas juste! lança Jade en pleurant franchement.

Il y eut un silence. Émile se sentait ridicule et incompétent lui aussi.

— Au moins on a eu le temps de voir ce qui était écrit…, dit-il en essayant encore une fois de rester positif.

CHAPITRE 25

Y A QUELQU'UN ?

Exactement comme elle l'avait fait le matin même, Jessie-Ann dévisagea Zach et Meg durant tout le trajet du retour. La minifille soutint une fois de plus son regard, et le garçon s'enferma dans son livre afin d'éviter toute confrontation. Pour mettre un peu de piquant dans ce jeu qui devenait plutôt ennuyant, la grande perchaude décida d'y aller de quelques insultes :

— T'es laide.

La « laide » alla chercher tout ce qui lui restait de contrôle personnel pour ne pas défoncer la fenêtre avec la tête de son adversaire et ensuite récupérer les éclats de verre pour lui ouvrir les joues d'une oreille à l'autre. Sa tête lui criait de réagir, ses nerfs tressautaient dans ses jambes et ses bras.

— En plus, t'es conne.

Meg serra les dents. Sur sa mâchoire, on pouvait voir une bosse apparaître en relief et disparaître tout de suite après. Le même manège se répéta plusieurs fois de suite.

— T'aurais pu te faire couper les cheveux, t'as l'air de la chienne à Jacques.

Zachari releva la tête. Il commençait lui aussi à perdre patience. Son amie lui donna un subtil coup de coude en guise d'avertissement.

— Quoi, Zizi? Est-ce que t'as quelque chose à me dire? Ou t'es trop mongol pour t'exprimer tout seul? Ou peut-être que c'est ta blonde qui veut pas que tu me parles? Hein? T'es jalouse, la gothique? C'est ça?

Meg prit une longue et lente inspiration. Son cœur battait jusque dans ses tempes, elle pouvait l'entendre et le sentir. Du sang lui montait à la tête. Son pied s'était même mis à battre un tempo imaginaire. Mais Jessie-Ann ne voyait rien de tout ça.

Ils arrivèrent enfin à destination. Une fois dans la rue, Zach demanda:

— Pourquoi tu fais pus rien? C'est-tu à cause de sa sœur?

— On s'en fout.

Quelle colère dans sa voix! Elle ne voulait clairement pas en parler. Son ami souffrait de la voir ainsi. Jessie-Ann ne méritait pas de respect, quel qu'il soit. Et le silence de la minifille en disait long sur sa peur. Peur que la grande sœur revienne lui casser les dents, surtout. Peur de devenir une victime aux yeux du monde, et ne plus inspirer la terreur incarnée. Déjà, les élèves parlaient à l'école. On chuchotait que la fille de l'ancien directeur s'était fait battre «solide».

— Heille, attends!

Elle marchait trop vite devant lui. Un peu de solitude lui aurait fait du bien pour cuver cette rage qui lui nouait la gorge. Mais son ami ne semblait pas comprendre et courut la rejoindre.

La porte de la maison était entrouverte. Zach fronça les sourcils.

— Ton père, y oublie-tu de la refermer, des fois?

— Non.

Ils entrèrent et une vision d'horreur s'imposa à eux. Quelqu'un s'était introduit par effraction et avait tout saccagé. Certains meubles poussés avec violence se trouvaient par terre. On avait laissé les tiroirs ouverts, vidés de leur contenu. Un chaos épouvantable régnait dans toutes les pièces. Sans perdre une minute, Meg s'élança vers la cuisine et sortit un énorme couteau. Si le malfaiteur se cachait quelque part pour les attaquer, elle était prête.

— Sors d'icitte, sinon j'te jure que tu croiras pas à ça! cria l'adolescente à pleins poumons.

Aucune réponse. Zachari la suivit dans l'escalier, craintif. Fouiller l'école en pleine nuit avait quelque chose d'excitant, mais dans une situation comme celle-ci, il avait véritablement peur. Comment Meg faisait-elle pour garder son sang-froid et crier après le potentiel agresseur en le menaçant d'une arme? Au moins, l'attaque de la sœur de Jessie-Ann ne lui avait pas enlevé tout son courage. L'étage supérieur ressemblait au rez-de-chaussée. Commodes vidées, garde-robes sens dessus dessous, matelas renversés. Même la chambre de Dominic y avait passé.

— Gang de mongols, c'est une CHAMBRE D'ENFANT, gros épais de caves d'innocents ! hurla Meg, complètement hors d'elle.

Personne en vue. Ni en haut ni en bas.

— OH NON ! s'exclama Zach.

— Quoi ?

— Les affaires à Euge étaient dans ma chambre !

Faible consolation : on avait oublié de fouiller le lit, et l'aspireau se trouvait toujours sous l'oreiller. Mais le reste – les documents, les objets étranges et tout ce qui se rapprochait de près ou de loin d'Armand-Frappet – avait disparu.

— Daniel !… pesta la jeune fille.

Elle avait prononcé ce nom d'une voix rauque et terriblement grave, comme si ses cordes vocales se trouvaient tout au bout de ses orteils. Zach eut un sentiment désagréable en l'entendant. Mais quand on y pensait bien, cette réflexion paraissait tout à fait logique. Le directeur s'était absenté toute la journée. Ce qu'il ne faisait jamais, habituellement. D'accord, son arrivée à Chemin-Joseph était trop récente pour qu'on puisse vraiment connaître ses habitudes, mais quand même… Rien ne plaidait en sa faveur. Meg décrocha le téléphone.

— Qu'est-ce tu fais ?

— J'appelle la police, c't'affaire ! Qu'est-ce tu penses ?

CHAPITRE 26

MERCI, MEG !

La police arriva et prit la déposition des deux amis, qui expliquèrent dans quel état ils avaient trouvé la maison à leur retour de l'école.

— Est-ce que quelque chose a été volé ? demanda l'un des agents.

Zach aurait aimé leur parler de son tiroir vidé, mais comment pouvait-il décrire des objets scientifiques inventés qui n'existaient pas officiellement ? En plus, il ne savait même pas à quoi la plupart d'entre eux servaient. Personne ne l'aurait pris au sérieux. Ou alors, il aurait fallu tout expliquer dans les moindres détails (l'existence d'Eugène, sa vraie identité, la formule), et ça, c'était hors de question. Une promesse est une promesse.

— Non... Rien, mentit-il avec un pincement au cœur.

Lorsque Meg leur confia ses doutes au sujet du directeur, les hommes de loi la regardèrent comme si une enfant venait de leur dire que la fée des dents existait pour vrai[18]. Ils ne prirent même pas

---

18. La fée des dents existe *pour vrai*. Elle a les cheveux frisés, elle porte un tutu brun et elle dit toujours super vite avec une voix rauque : « Ooooh, les belles dents ! » (NDA)

l'information en note! L'adolescente faillit leur lancer un meuble au visage. Mais puisque les meubles coûtaient cher dans cette maison, elle s'abstint, et les fusilla plutôt du regard en s'enfermant dans un silence glacé. Au bout de trois quarts d'heure, les policiers sortirent interroger les voisins trop peu nombreux des Létourneau. Aucun d'eux n'avait vu quoi que ce soit. Quand on habite au fond d'un cul-de-sac, sur un terrain entouré d'arbres, c'est toujours plus difficile pour les autres de surveiller.

Ils trouvèrent néanmoins des traces de pas dans la terre encore humide de la forêt, derrière la maison. Ce fut la seule piste concluante de l'enquête.

Dans une colonne du journal local, le lendemain matin, on lirait l'article suivant: « *Un homme s'est introduit dans un domicile de la rue des Pinsons hier après-midi, en l'absence de ses propriétaires. Selon l'enquête policière, le suspect portait des bottes de travail à bouts renforcés. Les motifs de son entrée par effraction demeurent cependant obscurs, puisqu'il n'aurait rien volé. Quiconque aurait des informations à ce sujet est prié de communiquer avec le service de police en composant le (…)* ».

Jacques fut saisi d'une colère terrible en apprenant ce qui s'était passé. Aidé de sa fille et de Zachari, il ramassa les dégâts en pestant contre l'humanité. Au retour de Dominic, tout était rentré dans l'ordre, et l'enfant n'eut connaissance de rien. Heureusement, car le frère de Meg était un enfant fragile. Pour son équilibre émotif, l'ordre et la structure se révélaient très importants. Voir l'épouvantable désordre l'aurait plongé dans un état de panique terrible. Comme si son petit bateau personnel chavirait. Comme si le plancher s'écroulait sous ses pieds.

Le souper se déroula en silence. Seul le petit semblait s'amuser, la tête encore pleine d'animaux et de soleil printanier.

La soirée n'alla pas en s'améliorant. Jade annonça sa mauvaise nouvelle par la messagerie instantanée, ce qui acheva de déprimer tout le monde. Au moins, Émile et elle avaient eu le temps de voir le message.

— Sauf qu'on sait pas plus qu'est-ce que ça veut dire…, laissa tomber Zach, déconfit.

Dans la chambre d'amis, Meg et lui essayaient de faire le point sur les événements de la journée.

— Ça veut dire que là, Donovan, y a une avance sur nous autres, parce qu'on sait même pas c'est quoi le maudit indice de l'eau ! se lamenta l'adolescent.

La minifille se leva si rapidement que Zachari eut le réflexe de regarder vers la porte, comme si quelqu'un allait entrer pour les surprendre ou leur faire du mal. Mais personne n'entra. Son amie s'était simplement souvenue d'un détail important et fouillait à présent dans sa poche pour y récupérer quelque chose. Le garçon se détendit. Toute cette histoire le rendait véritablement nerveux.

— Tiens.

Elle lança une sorte de plaquette sur le lit entre eux deux.

— C'est quoi ?

— L'indice de l'eau.

— HEIN ? ! Mais comment t'as fait ?

— Pendant que j'étais au secrétariat. La porte de Daniel était ouverte.

— Pis les secrétaires t'ont laissée y aller ?

— Y avait juste Jocelyne. J'y ai dit que j'avais besoin d'aspirine. Fait qu'est sortie pour aller en chercher à l'infirmerie.

— Pis pendant ce temps-là, t'as fouillé dans le bureau du directeur !

Meg leva un sourcil pour confirmer.

— Mais comment tu le savais que t'allais le trouver ?

— Je l'savais pas. Mais tant qu'à être là, aussi ben prendre une chance.

— C'est ben *hot* ! Maudit que t'es *hot* !

Première bonne nouvelle de la journée. Sur la petite plaque en marbre était gravée une étrange inscription :

46.075135-73.556799

— C'est quoi ? demanda Zach.

— Je l'sais-tu, moi ? !

— On dirait… Euh…

— Des numéros de téléphone ?

— … Non, j'pense pas, y a trop de chiffres.

— C'est peut-être une équation, r'garde, y a un moins dans le milieu…

Son amie alla chercher son sac à dos, dans lequel elle prit sa calculatrice.

— Ça fait -27.481664, dit-elle.

— Ouain. Ça nous aide pas ben ben.

— Peut-être si on additionne tous les chiffres ensemble ?

— Peut-être…

Une fois de plus, elle fit le calcul :

— Ça fait 38.

— Pis 3 plus 8, ça donne 11…

— Onze, c'est un plus un…

— Ça donne deux, mais ça veut pas plus dire de quoi.

— Non, ça mène nulle part.

Ils passèrent la soirée à essayer de déchiffrer cette énigme, sans résultat.

— Peut-être que les autres vont avoir une idée, proposa Zach, découragé.

— Ouain.

Ils s'arrêtèrent très tard pour dormir, mais leur cerveau continua à tenter de trouver la réponse, allant jusqu'à les faire rêver à leur quête.

CHAPITRE 27

LE TEMPS DE CÉLÉBRER

Une odeur de bacon réveilla Zachari. Le bruit du grésillement de la viande dans la poêle s'était d'abord glissé dans son rêve sous la forme d'un poste de radio défectueux, puis ses narines l'avaient ramené à la réalité. Il se leva, encore engourdi de sommeil, et sortit de sa chambre, curieux de savoir pourquoi un repas gastronomique se préparait d'aussi bonne heure. Jacques les attendait dans la cuisine.

— Bonne fête, Lulune ! lança-t-il, joyeux, en apercevant sa fille.

— Hein ? ! C'est ta fête, pis tu me l'as même pas dit ? ! s'exclama Zach. Bonne fête !

Meg parut embarrassée et marmonna un merci timide avant de s'asseoir dans la salle à manger, où son père lui apporta une assiette de crêpes noyées dans le sirop d'érable, recouvertes de bleuets et de crème fouettée maison. Les tranches de bacon furent placées au milieu de la table, à côté du jus d'orange fraîchement pressé et du chocolat à tartiner. On se serait cru en vacances. Dominic criait son bonheur en petits sons aigus, content de voir ce festin matinal ainsi que toute la famille réunie pour déjeuner.

— Y a quelqu'un qui va venir installer un système d'alarme aujourd'hui, annonça Jacques sur une note plus sérieuse.

— Sy-tème d'a-larme, répéta l'enfant doucement, avant de prendre une grosse bouchée.

Petit silence.

— Pis? fit Jacques, pour changer de sujet. Comment ça se passe à l'école? Daniel, y est comment?

— On l'haït, répondit la minifille, simplement.

— Hon l'-hït! répéta encore Dominic, la bouche pleine.

— Y a-tu fait de quoi? demanda son père avec précaution.

— Y le sait pour Eugène, pis y essaye de trouver la formule.

— Grr! C'était sûr, ça!

Un pli creusa son front, entre ses deux sourcils, puis il dit:

— Y *peut pas* la trouver! Avez-vous eu des nouvelles d'Eugène?

— Non.

— J'imagine qu'y a fait exprès de disparaître encore…

— Sûrement.

— Si c'est ça, on est en sécurité. Sa formule est avec lui.

Meg leva les yeux vers son ami et lui jeta un regard qui en disait long.

— Sa fo-rmule est a-vec lui, répéta son petit frère en faisant patiner un morceau de crêpe dans le fond de son assiette.

— Mange, 'Minic, lui proposa doucement sa sœur.

Ils terminèrent leur petit-déjeuner rapidement parce qu'après tout, un autobus passerait les prendre sous peu. Après avoir débarrassé la table, Jacques alla au salon chercher un petit paquet emballé qu'il tendit à sa fille.

— Tiens, c'est pour toi…

Elle le déballa d'un geste fébrile et Zachari y vit là une excitation mal contenue.

— Un cell?! fit l'adolescente.

— Oui, madame! Tu peux t'en servir dès maintenant, même. Il est chargé, payé… J'te demanderais juste de pas faire d'interurbains, s'il te plaît.

Elle hésita quelques secondes en regardant son nouveau téléphone et alla se coller contre son père pour lui faire une longue accolade.

— T'es contente? Tant mieux, fit ce dernier en souriant.

C'est drôle, j'ai comme une impression de déjà-vu, observa la voix dans la tête de son ami[19].

L'enfant blond se mit à rire en battant des mains et alla se joindre à eux. Il était aussi heureux que si le cadeau avait été pour lui.

---

19. Normal! Meg avait eu exactement la même réaction à Noël, quand elle a reçu son *drum*. Zach a juste une bonne mémoire. Sauf qu'il ne s'en souvient jamais. (NDA)

— Le seul problème, observa Jacques, c'est que vous avez pas le droit d'apporter un cellulaire à l'école. Fait que cache-le, parce que j'ai pas envie de t'en racheter un autre !

— Mais… Pourquoi tu me donnes ça ? le questionna Meg.

— Parce que… Étant donné que je suis plus là pour garder un œil sur toi, je veux que tu m'appelles s'il arrive quelque chose. Surtout avec cette histoire de formule et de directeur… J'imagine que c'est une précaution inutile, mais bon… Y a quelque chose qui me dit que je fais bien. On n'est jamais trop prudent. Bon ! Allez… Dépêchez-vous avant de manquer l'autobus !

Le téléphone, celui de la maison, sonna.

— Zachari, c'est pour toi !

— Pour moi ? C'est qui ?

Ça ne pouvait être que sa mère.

— C'est ta mère[20] !

Zach prit le combiné et le posa contre son oreille, inquiet. Pourquoi l'appelait-elle à une heure aussi matinale ?

— Allô ?

— Allô, mon Tom-Tom ! Ça va bien ?

— Oui, mais toi ?

— Oui, chéri ! J'voulais juste te dire que je vais avoir mon congé de l'hôpital dans deux jours ! C'est mon docteur qui vient de me le dire !

— Pour vrai ?!

— Oui ! T'es-tu content ?

---

20. Je le savais !!! (NDA)

— Ben oui!

— C'est tout ce que je voulais te dire, j'étais trop énervée, j'avais pas le goût d'attendre! J'te laisse, tu dois être sur le point de partir, toi là?

— Oui… On s'en allait, justement, là…

— Dépêche-toi d'abord, pour pas manquer ton autobus! J't'aime!

— Moi aussi, m'man.

Il lui dit au revoir et raccrocha, confus. C'était une nouvelle géniale: enfin, sa mère rentrait à la maison. Presque trois mois maintenant qu'elle se remettait de ses blessures. Autant ce temps avait paru une éternité à Zach, autant aujourd'hui, alors qu'il apprenait que sa vie allait enfin revenir à la normale, il ne pouvait s'empêcher de penser que… ce retour compliquait un peu les choses. Avec l'énigme, les indices et la recherche de la formule, vivre chez Meg était beaucoup plus… disons… facile? Oui, facile. Leurs discussions, tard le soir, pour essayer de trouver des solutions, la planification des missions… Le fait d'être toujours ensemble, c'était plus facile, carrément. Et Jacques ne faisait pas vraiment attention à leurs entretiens dans la chambre d'invités. Il vaquait à ses occupations en pensant que les deux amis étudiaient. Sa mère, par contre, c'était différent. Pas qu'elle soit fouineuse ou indiscrète, mais suivant sa définition de «bonne maman», elle se faisait un devoir de lui poser toutes sortes de questions et de s'intéresser à tout ce qu'il faisait. Et puisqu'il n'y avait pas de frère plus jeune dans la maison pour détourner l'attention, inévitablement, quand

Zach parlait au téléphone, ses conversations devenaient moins… personnelles. Mais ce n'était pas tout : sa mère ne pourrait pas fonctionner « normalement » à cause de sa convalescence. Elle aurait besoin de lui pour l'aider, ce qui prendrait du temps. Du temps qu'ils avaient de moins en moins, maintenant que Donovan possédait lui aussi tous les indices…

Ah non, c'est vrai… y'es a pas tous. Y lui manque le nom… « Partnam-machin ».

— Qu'est-ce qu'y a ? demanda son amie en le sortant de sa réflexion.

— A sort en fin de semaine.

La minifille n'eut aucune réaction visible.

— Cool, dit-elle simplement.

— Ouais. Cool…

Meg enfonça son téléphone à l'intérieur de son jeans, juste sous son nombril.

— Qu'est-ce tu fais là ?

— Euh… Allô ! Au nombre de fois qu'on se fait demander de vider nos poches pis notre sac, j'ai pas envie qu'y trouvent mon téléphone !

— Ah, ben oui… C'est brillant.

— Je l'sais. Grouille, on s'en va.

CHAPITRE 28

UNE RÉVÉLATION TROUBLANTE

— Heille! Heille, vous savez pas quoi?!

Maggie paraissait complètement boule-versée. Et en même temps, une sorte de joie transpirait sur son visage. Une joie mêlée de frousse. Étrange à dire, mais Maggie avait l'air contente, apeurée et énervée. Les trois émotions à la fois.

— Vous souvenez-vous, la fois qu'on est venus pour voir le fantôme pis qu'à place on a trouvé (Eugène)?

Ils avaient tous pris cette habitude de ne jamais mentionner le nom de leur ami scientifique à voix haute. Il en allait de même avec tout ce qui le concernait.

— Euh… OUI, on s'en souvient, raisonna Joël. Ça fait même pas deux mois que c't'arrivé! Faudrait vraiment avoir une mauvaise mémoire pour avoir oublié ça!

— Ben là, je l'sais, c'était juste pour vous remettre en contexte!

— Dans ce cas-là, fallait le dire…

— Qu'est-ce qu'y a? s'impatienta Meg.

— Ben t'sais, quand toi pis Zach vous étiez partis tout seuls pis nous autres fallait qu'on fasse semblant de jouer au Ouija?

— Ouain, quoi?

— Ben, j'ai pris des photos en arrivant proche de vous autres, vous vous en souvenez?

— Ouain?…

— Ben hier, j'les regardais, pas rapport de même, pis VOUS SAVEZ PAS QUOI?!

— Quoiiiii??? Dis-le!!! s'énerva la minifille.

— J'pense que j'ai photographié un vrai fantôme!!!

Alice piétinait sur place, également excitée par la situation. Elle était la première que Maggie avait appelée après sa découverte.

— Hein? Comment ça? fit Zachari.

— Ouain? renchérit Joël, soudainement très intéressé.

— Tu l'as-tu avec toi? demanda Jade.

— Oui, je l'ai apportée pour vous la montrer!

La jeune fille sortit son appareil et l'alluma. Sur l'écran, on pouvait voir Meg, Zach et Eugène. Les trois affichaient un air perplexe et étonné. Le garçon avec les grosses lunettes ne pensait pas se faire démasquer ce soir-là, et les deux amis, eux, n'auraient jamais imaginé tomber face à face avec lui. Tout près d'eux, une espèce de tache blanche floue s'étirait à la verticale, comme si quelqu'un s'était tenu debout tout à côté. Bien sûr, cette forme n'avait rien d'humain. On aurait dit une sorte de nuage effilé, mais quand même…

— OK. ÇA, c'est *weird*! s'exclama Joël.

Personne ne savait comment justifier cette étrange luminosité.

— Pour vrai, ça me fait un peu peur! confia Jade, elle aussi partagée entre l'excitation et l'angoisse.

— Ça doit être un genre de reflet, déduisit Émile, le grand sceptique.

— Arrête, là! se fâcha le dodu. Tu peux pas dire que c'est normal!

— C'est peut-être pas normal, mais ça veut pas dire qu'y a pas d'explication!

— OK, les coupa Maggie. Ben… Pendant que vous vous obstinez, moi, j'vais aller à mon cours parce que la cloche va bientôt sonner…

— Heille, attends, est-ce que tu vas mettre la photo sur le site? fit Jade.

— Oui, oui. À plus!

Ils se séparèrent en pensant encore à cette étrange découverte.

— Ah merde! s'exclama Zachari. On a oublié de leur parler du dernier indice!

— Tantôt…

Le cours fut plus long que jamais. En plus, on travaillait les participes passés de malheur, la bête noire du garçon. La fin de l'année arrivait dans quelques jours, et les cours de révision endormaient tout le monde. Sauf Meg, qui avait toujours l'air d'être en parfait contrôle, dans toutes les matières. Joël, pour sa part, travaillait aussi fort que son ami aux grosses oreilles. On pouvait voir sa difficulté à maîtriser le sujet à sa manie de se frotter le front et les cheveux en soupirant à chaque nouvelle question.

— Je l'aurai jamais! se plaignit-il durant la pause.

— Si t'arrêtes pas de le dire, c'est sûr que tu l'auras jamais, remarqua Maggie.

— Y faut que tu fasses semblant que c'est toi le meilleur, lui expliqua Alice.

— C'pas un truc, ça! Si j'fais semblant que j'suis le meilleur pour cracher du feu par les yeux, j'vais pas me transformer en superhéros!

Puis, moins fort, il ajouta:

— Sinon, ça fait longtemps que je cracherais du feu par les yeux pour de vrai.

— Non, c'est vrai, renchérit la jeune fille en ajustant ses lunettes. Même que tu devrais essayer de nous montrer comment ça marche. Quand on enseigne quelque chose à quelqu'un, on apprend plein d'affaires en même temps.

— C'est n'importe quoi! réagit le dodu. Tu veux-tu que je te montre comment piloter une avion, aussi? Parce que ça non plus, j'suis pas capable!

— On dit UN avion, Jo. Pense aux oiseaux. Un avion, ça ressemble à un oiseau: ben c'est la même affaire. UN oiseau; UN avion.

— Pas sûr, moi. T'essayeras de nourrir un avion avec du pain, tu vas voir que c'est pas la même chose!

— On a le dernier indice, laissa tomber Meg, tannée de leur discussion qui ne menait nulle part.

— HEIN?! s'écrièrent Jade, Maggie et Joël en même temps.

— Pis c'est LÀ que tu nous dis ça?! fit Émile.

— On n'a pas eu le temps à matin; à cause de la photo, on a complètement oublié, se justifia Zach, craignant une nouvelle crise de la part du groupe.

— Mais là, c'est quoi?! demanda Alice.

Ils leur montrèrent, et chacun y alla de sa proposition quant à la solution de l'énigme. Malheureusement, aucune idée lancée ne fut différente de celles des deux amis la veille. Quand la cloche sonna le retour en classe, Jessie-Ann passa près de Zachari et lui flanqua une chiquenaude[21] sur l'oreille.

— OW! cria l'adolescent.

— Dépêche-toi, Zizi, tu vas être en retard!

Puis la grande échalote s'en alla en ricanant comme une sorcière.

— C'est quoi son problème, à elle? se choqua Émile.

— Ça fait longtemps qu'on le sait, répondit Joël. Son problème, c'est qu'est conne!

Personne n'ajouta quoi que ce soit. Meg la regarda s'éloigner d'un œil mauvais. Leur ennemie riait avec ses amies. Soudain, elle se prit les pieds dans une ligne du plancher. Une de ses copines lui

---

21. « Chiquenaude », c'est une façon propre de dire « pichenotte ». C'est tellement laid comme mot, « chiquenaude » ! On dirait une vieille madame avec des dents vraiment longues, qui se frotte les mains en riant. (NDA)

attrapa le bras juste à temps, ce qui l'aida à reprendre son équilibre. Jessie-Ann regarda discrètement tout autour pour voir si quelqu'un l'avait vue, puis elle se remit à rire avec ses suiveuses et poursuivit son chemin. Subitement, Meg eut une idée…

CHAPITRE 29

UNE NOUVELLE AMIE

L'heure du dîner arriva enfin. La minifille avait pensé à son plan durant tout le cours. Son idée lui semblait un peu faible et risquée, mais c'était le mieux qu'elle puisse faire dans un laps de temps aussi court.

Elle alla à son casier, où elle vida complètement son sac à dos, puis grimpa l'escalier jusqu'au deuxième étage. Il lui fallait passer au local de biologie pour récupérer quelque chose de très important. Heureusement, la prof de bio demeurait dans sa classe tous les midis pour accueillir les élèves, pour s'occuper de ses animaux, ou pour corriger des travaux. Une petite musique douce jouait dans la pièce. Mme Roberge pensait que l'environnement sonore influençait le comportement des animaux.

— Bonjour, fit l'adolescente, sur le pas de la porte, avec une politesse qu'on ne lui connaissait pas.

— Ah ! Bonjour ! répondit l'enseignante. Est-ce que t'es dans une de mes classes, toi ? J'ai l'impression que non…

— Non. J'suis en secondaire deux, on n'a pas de cours ensemble. Mais je voulais juste venir voir vos bibittes.

— Ben oui, avec plaisir ! Rentre, vas-y, gêne-toi pas !

Avec un accueil aussi chaleureux, difficile de se gêner. Elle commença donc à faire lentement le tour des cages. Un chinchilla dormait en boule dans son petit panier. Des souris se chamaillaient entre elles. Meg releva la tête pour voir ce que Mme Roberge faisait. Cette dernière, qui l'observait, lui fit un sourire et retourna à ses corrections, la laissant explorer. Dans une autre prison miniature, un lapin grugeait fiévreusement un morceau de bois. Mais les lapins n'intéressaient pas la fille aux cheveux mauves. Ce qui l'intéressait se trouvait là, dans le petit aquarium en vitre, fermé par une moustiquaire. À l'intérieur du bocal, une grosse tarentule restait immobile. Meg regarda encore en direction de l'enseignante, qui ne s'occupait que de ses papiers. En silence, la minifille écarta le grillage et passa la main dans l'aquarium. D'un geste confiant et tranquille, elle prit l'insecte, qui ne broncha pas, puis le fit passer dans son sac à dos vide. Peu de gens auraient eu le courage de faire de même. Mais l'adolescente ne redoutait pas les araignées. Même que, pendant une période de sa vie, ces dernières la fascinaient. Combien de fois avait-elle embêté son père pour avoir une tarentule ? Mais Jacques Létourneau refusait catégoriquement de faire entrer une telle bestiole dans sa maison. Un autre coup d'œil vers l'avant de la classe. Tout allait bien. La prof ne s'était aperçue de rien.

— Qu'est-ce qui est supposé avoir, ici? fit la jeune fille en pointant le cube aux parois vitrées duquel elle venait juste d'enlever l'insecte.

— Une tarentule, pourquoi? Tu la vois pas?

— Ben... Je sais pas, mais y a rien, on dirait...

Cette discussion effacerait tout soupçon. Personne ne pourrait l'accuser de vol, puisque c'était elle qui avait rapporté la disparition de la bête! Mme Roberge se leva de sa chaise et s'approcha pour vérifier de plus près.

— Mon doux! s'exclama la femme. T'as ben raison: est pus là!

— C'est-tu normal que le *scring* était ouvert quand j'suis arrivée?

— Non! Ben non!... Oh, mon doux... J'espère qu'elle s'est pas sauvée, ça serait la catastrophe dans l'école! Écoute, je vais devoir fermer la porte pour essayer de la retrouver, je pense que tu ferais mieux de sortir.

— Voulez-vous que je vous aide?

— Merci, t'es bien gentille, mais j'aime mieux pas... Si elle se met en position d'attaque et que ça te fait paniquer... J'aime mieux pas prendre de risque...

— OK. Ben... Merci de m'avoir laissée regarder.

— Fait plaisir. J'suis désolée de te couper ça, mais bon...

— Non non, je comprends. Bonne journée, pis bonne chance.

La femme mit une main sur son sac pour la pousser gentiment vers la sortie. Meg pressa le pas pour éviter qu'on écrase son précieux chargement, puis quitta la classe, un peu mal à l'aise.

— J'te promets que j'vais te ramener à ta maison, Gertrude, souffla-t-elle à l'intention de l'insecte.

Jessie-Ann et sa bande mangeaient, comme toujours, dans l'agora.

Parfait.

La grande rousse était justement en train de se vanter de quelque chose sans importance. Meg ouvrit son sac, récupéra la tarentule et approcha doucement en retenant sa respiration. La dernière chose qu'il lui fallait, c'était bien de se faire prendre. Mais les commères ne s'aperçurent de rien, comme d'habitude, et continuèrent à placoter en riant beaucoup trop fort.

— … ben là, qu'est-ce tu penses ? On s'est embrassés ! lança Jessie-Ann.

— Pour vrai ?! fit une de ses amies. Y embrasse-tu bien ?

— Correct. Y goûtait le ketchup.

— HAHAHAHA !!!

La minifille roula des yeux.

Maudit qu'est épaisse !

Elle déposa ensuite sa compagne à huit pattes à quelques centimètres de la grande chipie et recula en vitesse. Après quoi, elle les contourna et alla s'asseoir directement en face, jambes repliées, et mangea son lunch d'une main en surveillant bien sa complice poilue, qui ne devait absolument rien comprendre à son aventure.

— Coudon, la gothique! lui lança Jessie-Ann en parlant fort. T'es toute seule?! T'as enfin compris que personne veut d'une rejet comme toi?

Et toutes ses amies d'éclater d'un rire sadique.

— À moins qu'y se soient rendu compte que tu puais!

Nouveau rire méchant.

Meg les observa sans bouger, sans répondre.

— C'est tellement drôle! remarqua la rouquine. Depuis que ma sœur y a réglé son compte, est touuuute tranquille, la gothique. J'pense qu'a compris qu'a fait pas peur à personne! *Check*-la qui me fait des yeux méchants!

La fille aux cheveux mauves ne lui faisait pas des yeux méchants. Elle la regardait tout simplement avec un PEU de mépris, courir tout droit vers la plus grande et la plus désagréable surprise de sa vie. Jessie-Ann prit un petit pot de pudding dans son sac et l'ouvrit.

— C'est quoi? T'as envie de me sacrer une volée? Tu sais ce qui se passe, hein, quand on s'en prend à quelqu'un de plus puissant...

Une fois de plus, elles se mirent à rire comme des guenons. C'est à ce moment que se produisit ce que Meg attendait avec impatience. Jessie-Ann se redressa et posa une main par terre derrière elle pour savourer sa supériorité, bien appuyée. Y voyant une invitation, Gertrude grimpa sur les doigts de la jeune fille, sans se formaliser. En se retournant pour voir de quoi il s'agissait, la rouquine aperçut l'horrible araignée et devint complètement hystérique :

— AAAAAAARRRRRRGGGGGHHHHHH HH!!!!!!!!!!

Elle se leva d'un bond et se jeta par terre, s'éclaboussant au passage de son pudding au chocolat. Juste avant de se mettre à pleurer, elle hurla de toutes ses forces :

— ENLEVEZ-LA, ENLEVEZ-LA, ENLEVEZ-LA, ENLEVEZ-LAAAAAAAAAA!!!!!

De ses mains, Jessie-Ann chassait des insectes invisibles de son visage, ramassant ses cheveux au passage. Ce faisant, elle se salissait encore plus avec les éclaboussures de son dessert. Ses amies, qui s'étaient aussi mises à crier devant cette vision d'horreur, s'éloignaient le plus possible de l'insecte infernal, qui allait sûrement toutes les TUER en FAISANT FONDRE LEUR PEAU avec ses LASERS QUI RENDENT FOU si elles s'en approchaient. Jessie-Ann continuait sa danse absurde sur le plancher de l'agora, et d'autres élèves commencèrent à s'attrouper, intrigués par les cris animaliers de la rouquine, qui pleurait, bavait et gesticulait, en hurlant comme une perdue.

Bon. J'pense que j'ai c'qui me faut...

Meg appuya sur le bouton « arrêt » de la fonction vidéo de son cellulaire et replaça celui-ci dans son pantalon. Avec l'appareil entre ses deux genoux, elle avait capté toute la crise de la grande pimbêche. Il fallait se l'avouer, elle commençait également à craindre pour la vie de Gertrude, qui s'était réfugiée dans un coin, deux pattes relevées, morte de peur. Quelqu'un allait bien finir par la piétiner si on la laissait là. La minifille avança vers l'araignée et glissa précautionneusement une feuille cartonnée sous son petit corps paralysé, avant de l'emprisonner sous son plat de plastique, qui contenait quelques minutes auparavant son sandwich. Elle traversa ensuite la petite salle sans se faire remarquer des témoins qui s'amusaient fermement de voir la grande rousse se tordre sur le sol comme un ver de terre épileptique.

— Je l'ai trouvée! lança Meg à l'attention de Mme Roberge en entrant dans la classe.

La femme était accroupie devant une armoire.

— Oh, mon doux! Oh, mon doux! fit cette dernière en se relevant. Tu l'as trouvée?! Était où, pour l'amour du ciel?!

— En bas… Je pense que quelqu'un l'avait empruntée pour faire une mauvaise blague à une fille. C'était pas beau à voir en tout cas.

Elle lui tendit l'insecte à bout de bras, comme si celui-ci la répugnait. L'enseignante prit le carton avec la douceur d'une mère qui retrouve son enfant et remercia chaleureusement la jeune fille de la lui avoir ramenée.

— Oh, c'est rien, fit Meg, hypocrite.

Puis elle récupéra son plat et repartit, avec un sourire en coin.

CHAPITRE 30

AU DIABLE, LES RAISONS !

Vendredi pointa enfin son nez[22]. C'est un groupe d'amis épuisés de leur semaine qui se réunit au casier de Jade quand vint l'heure du midi. Il fut cependant impossible de parler, parce que Daniel vint rapidement interrompre le cours de leur dîner.

— Vous. Mon bureau. Tout de suite ! dit-il sans préambule.

Joël questionna Maggie du regard, qui haussa les épaules. On se doutait bien que cette mascarade avait quelque chose à voir avec l'indice volé dans la bibliothèque, sans pourtant en être complètement certain.

— Vous vous en allez immédiatement au local L-233 et vous me copiez deux cents fois la phrase : « À l'avenir, je me tiendrai tranquille dans l'école et je respecterai les règlements. »

— Pourquoi ? ! s'indigna Émile.

— Pourquoi ? Vous voyez vraiment aucune raison ? Je peux t'en nommer cinquante, si

---

22. Façon de parler. Vendredi n'a pas de nez. C'est un jour de la semaine. (NDA)

tu veux! Premièrement, parce que vous avez sorti une araignée du local de bio pour attaquer quelqu'un…

— Eux autres, y étaient pas là, souligna Meg.

— Y ont pas besoin d'être là. Ce sont tes amis, et je considère que c'est assez pour qu'ils soient punis eux aussi.

Joël allait s'indigner, mais n'en eut pas le temps, interrompu par la minifille :

— Pis pourquoi tu dis que c'est moi ? Moi j'ai RAMENÉ la tarentule à Mme Roberge.

— Ouain, ben Jessie-Ann dit que c'est toi qui l'as jetée sur elle. Et je la crois. J'ai pas vraiment besoin de plus de preuves, pour être tout à fait franc.

— Mais là, c'est pas juste ! s'exclama Jade.

— C'est vrai, ça ! On n'a rien fait ! Vous pouvez pas nous mettre en pénitence pour rien ! renchérit Zachari.

— Ma mère va le savoir en tout cas, avertit Émile.

— Parfait, tu lui diras de m'appeler, ça va me faire plaisir d'en profiter pour lui dire que vous passez votre temps à désobéir aux règles, à vous battre…

— On se bat pas !

— Ah non ? C'est qui qui a mangé un coup de coude dans le visage, l'autre matin, dans les cases, hein ?

Le directeur venait de toucher un point. Meg et Émile s'étaient déjà « battus » dans l'école.

— Et je vais aussi dire à ta mère que vous prenez de la drogue en cachette.

— QUOI ? ! s'écria Maggie.

— Mais c'est même pas vrai ! s'opposa Jade.

— Eh ben ! Ça va être votre parole contre la mienne ! lança Daniel, fièrement. Qui vous pensez que vos parents vont croire ? Hein ? Des p'tits adolescents immatures qui passent leur temps à faire des mauvais coups, ou un adulte responsable d'une école ? Et de toute façon, j'ai des preuves.

— Hein ? ! s'étonna Zachari. Comment ça, des preuves ? Quelles preuves ?

L'homme sortit un petit sachet de son bureau, contenant de l'herbe séchée.

— Des preuves ! répondit-il, triomphant.

— Mais ça prouve rien, ça ! C'est rien qu'un sachet, pis y est dans VOTRE bureau ! remarqua Maggie.

— Pas si je dis que je l'ai trouvé dans *votre* casier.

— Vous pouvez pas faire ça ! cria Jade, au bord des larmes.

— Oh. Tu serais surprise de voir tout ce que je peux faire ! Maintenant, allez faire votre copie. Si c'est pas terminé au début de la troisième période, vous allez la faire chez vous ce soir. Et si c'est pas terminé lundi matin, je vous fais redoubler votre année.

— QUOI ? ! *Voir*, qu'on peut redoubler juste à cause d'une copie !

— Au risque de me répéter, Joël… Tu serais *surpris* de voir tout ce que je peux faire !… Dehors, maintenant ; j'vous ai assez vus.

Les sept amis sortirent, ulcérés. Avant de refermer derrière elle, la minifille repassa la tête dans le bureau et dit :

— En passant, je l'sais que c'est toi qui es venu chez nous. Ça restera pas comme ça.

— Quelqu'un est allé chez vous? demanda le directeur d'un air innocent.

Elle ferma la porte brusquement et alla rejoindre les autres.

— C'est sûr que je la fais pas, sa maudite copie! décida le sportif.

— C'est juste ça qu'y veut, réalisa Meg. Le meilleur moyen de l'écœurer, c'est de la faire. De toute façon, on n'a pas ben le choix.

— Moi, j'vais le dire à mon père en tout cas! affirma Jade.

— Qu'est-ce tu penses qu'y va arriver? lança Zachari. Daniel, y va mentir, pis y va dire que t'as tout inventé. On n'aura pas le dernier mot avec c'te gros cave-là. On est aussi ben de faire c'qu'y veut.

— D'après-moi, y veut juste nous écarter du chemin, dit Meg.

— Qu'est-ce tu veux dire? demanda leur ami dodu.

— Y doit être en train de chercher l'indice de la terre, ou quelque chose, pis y veut pas qu'on soit dans son chemin.

— Ben justement! Nous autres non plus on l'a pas, l'indice de la terre! paniqua Maggie.

— Oui, mais on a fouillé partout, fit Alice, timidement.

— Pas dehors! Peut-être qu'y a trouvé c'est où, pis là nous autres, on le saura jamais!

— Fais-toi z'en pas. On va le savoir, rétorqua leur amie aux cheveux mauves, sombrement. Tout finit par se savoir dans la vie… Tout.

Leur après-midi fut donc occupé à copier. Jade proposa qu'aucun d'eux ne prenne la peine de bien écrire. Une suggestion qui était surtout destinée à Maggie. Cette fille était tellement appliquée, à l'école, que sans cet avertissement, sa copie serait assurément impeccable.

— On s'en fout que ça soit pas propre. On va l'avoir fait, c'est tout ce qui compte.

Proposition qui fut adoptée à l'unanimité. Daniel venait de gagner une bataille. Mais la guerre était maintenant ouverte, et aucun des sept n'avait l'intention d'y laisser sa peau.

CHAPITRE 31

LA MONNAIE DE SA MONNAIE

Meg entra dans sa chambre et s'assit sur son lit, histoire de se reposer quelques secondes avant la suite de cette journée essoufflante. Zachari était parti tôt ce matin. Jacques l'avait conduit à l'hôpital, où Linda les attendait, surexcitée à l'idée de rentrer chez elle. Les retrouvailles avaient été émotives et joyeuses. Le garçon aux grosses oreilles s'était jeté dans les bras de sa mère, qui pleurait son bonheur. En chemin, on avait écouté de la musique en se racontant comment s'étaient passés les trois derniers mois.

La petite maison où vivait Zach paraissait triste et froide quand il poussa la porte. La poussière accumulée laissait deviner que personne n'avait mis les pieds à l'intérieur depuis longtemps. Dans le frigo, la nourriture pourrie semblait sur le point de prendre vie et de se mettre à courir elle-même vers la poubelle en criant : « LIBERTÉÉÉÉ ! » Jacques enfila de gros gants de caoutchouc et jeta tout, jusqu'aux contenants, pendant que Meg, Dominic, Linda et Zachari se retenaient de vomir. Il proposa ensuite d'emmener la mère et le fils à l'épicerie en leur disant que lui-même avait besoin de remplir son garde-manger de toute façon. Linda apprécia l'offre, puisque sa voiture reposait maintenant sur une montagne de ferrailles, sans aucune chance de reprendre un jour la route. Elle refusait cependant d'y aller si on ne lui permettait pas d'offrir un dîner au restaurant à tout le monde. C'était la moindre des choses, après tout ce que M. Létourneau avait fait pour elle et sa famille. Le repas fut délicieux et animé. Dominic exprima sa joie en petits sons aigus, comme toujours. On mit ensuite une bonne heure bien comptée à faire le tour du supermarché. Parce que rien ne pressait, et aussi parce que la mère de Zach marchait plus lentement qu'avant. Sa convalescence prendrait encore du temps, selon les médecins. Des jours. Des semaines. On ne savait pas vraiment.

C'est seulement en moitié d'après-midi, une fois de retour chez elle, que Meg enfila des vêtements foncés, enfouit un crayon à encre permanente dans ses poches, puis quitta le confort de sa chambre pour partir à l'aventure.

— Je r'viens tantôt, avertit-elle.

— OK!

En avançant à un rythme régulier, elle serait sur place en vingt minutes. Marcher ne la dérangeait pas. Il faisait soleil dehors. Une magnifique journée de printemps qui donnait envie à n'importe qui de chanter[23]. Les rues débordaient d'enfants courant dans tous les sens. Personne

---

23. N'importe qui, sauf Meg. Parce que Meg ne chante pas. Parce que chanter, ça pue. (NDA)

ne remarquait le petit être chargé d'électricité qui se dirigeait vers le centre de la ville. Et c'était parfait ainsi. Moins on la remarquait, mieux elle se portait.

Le magasin de beignes était situé au milieu de la rue principale, et plusieurs autos attendaient devant, stationnées en rangs serrés, que leur propriétaire remette la clé dans le contact pour les emmener vers une nouvelle aventure. Ou du moins, dans une autre promenade. Il approchait cinq heures lorsque Meg s'installa dans l'abri d'autobus, juste devant la petite entreprise. À cet endroit, personne ne ferait attention à elle. N'importe qui pouvait attendre l'autobus devant un magasin de beignes. Après de longues minutes d'attente, sa patience se vit récompensée lorsqu'une impressionnante rousse aux épaules carrées sortit par la porte de devant et se mit à contourner le magasin pour rejoindre la rue de derrière. Dans ses souvenirs, sa nouvelle ennemie n'était pas aussi grande et aussi bâtie, mais peu importe. C'était le moment de se mettre en mouvement.

— Salut, lança-t-elle, une fois à portée de voix.

L'autre se retourna, curieuse de savoir qui pouvait bien l'interpeller à cette heure, à cet endroit, de cette façon.

OK, c'est maintenant! lui lança la voix dans sa tête.

Il fallait profiter de l'effet de surprise. Ne pas attendre que l'adversaire soit sur ses gardes. La minifille frappa d'abord le tibia de la sœur de

Jessie-Ann, qui se plia instantanément de douleur. Sans reprendre son équilibre ni poser le pied par terre, Meg enchaîna instantanément avec un coup à la tête. Deux attaques simultanées qui, bien maîtrisées, donnaient une magnifique longueur d'avance dans n'importe quelle bagarre et qui, dans ce cas-ci, firent s'effondrer la colossale jeune fille. Cette technique fort utile lui avait été enseignée par son cousin adepte de karaté. Ce cousin se révélait un atout quand venait le moment de donner une leçon à quelqu'un. C'était notamment grâce à lui et à ses ressources que Jimmy s'était retrouvé partiellement sourd, l'année précédente.

— Tu te souviens-tu de moi? demanda Meg.

Une étincelle s'alluma dans les yeux de la grande, qui se rappelait spontanément pourquoi ce visage entouré de cheveux mauves lui avait paru si familier au premier regard. C'était à cette petite idiote qu'elle avait réglé son compte! Jamais elle n'aurait pensé que cette fille, si petite, si frêle, reviendrait lui causer des ennuis!

Meg ne perdit pas de temps à attendre la réponse et projeta son poing de toutes ses forces dans l'abdomen de la brute. Ce qui eut un effet limité, puisque la force de ses bras laissait à désirer. C'est ainsi que la rousse eut la chance de répliquer, en envoyant une solide claque sur la joue de celle qui était venue la provoquer.

— Oui j'm'en souviens, d'toi, p'tite morveuse!

La « p'tite morveuse » accusa le coup sans broncher, même si quelque part dans les replis de sa peau, le souvenir d'une violente douleur se raviva. La sœur de Jessie-Ann (appelons-la Audrey-Maud[24]) venait de frapper exactement au même endroit que quelques semaines auparavant. Le mal raviva la volonté de la minifille, qui se jeta en avant, les yeux injectés de rage. En s'agrippant à la chevelure de feu de son opposante, elle tira de toutes ses forces et lui ramena un genou sur le nez. Un cri s'échappa de la géante, en même temps qu'une rigole de sang se mit à couler sur son menton.

— Dans ce cas-là, tu dois te souvenir que tu m'as battue pendant que tes deux amies me retenaient de force ?! fit Meg. Ben j'voulais juste te dire que ÇA S'FAIT PAS, ÇA! Grosse LÂCHE!

En même temps que ses derniers mots, elle lui plaça sa botte au milieu du ventre et poussa de toutes ses forces. La grande échalote 2 recula de quelques pas, mais seulement pour mieux revenir. Après avoir pris son élan, elle s'élança vers Meg et la poussa à son tour, à la hauteur des épaules. Malheureusement, il y a des limites à ce qu'une personne de trente-sept kilos peut encaisser en matière de poussée. La minifille tomba à la renverse, et l'autre en profita pour grimper à cheval sur elle, dans le but de lui administrer la pire raclée de sa vie. Vraisemblablement, cette

---

24. Ouain! Leur mère aimait BEAUCOUP les noms composés. Parlez-en à leur frère William-Emmanuel-Francis-Charles-Olivier-François-Robert-Claude-Tracteur-Deux, pour voir... (NDA)
P.S Tracteur n'est pas un nom. Les parents de Jessie-Ann sont vraiment idiots.

petite niaiseuse n'avait pas compris le message la dernière fois. Il faudrait donc la frapper plus fort, aujourd'hui, quitte à lui faire perdre connaissance. Mais Meg ne l'entendait pas de cette façon. Elle releva les jambes et, dans une étrange contorsion, accrocha ses mollets autour du front de l'insolente. Puis, tirant de toutes ses forces vers l'arrière, elle réussit à propulser Audrey-Maud loin en dehors de son espace vital. Confuse, cette dernière se retrouva sur le dos à son tour, sans comprendre ce qui venait de se passer, et n'eut pas le temps de voir arriver le coup dirigé vers ses côtes. Son souffle fut coupé. Elle se recroquevilla comme une chenille prise au piège.

— Ça…, cracha l'adolescente, c'est pour MES côtes à moi! Pis ça…

Elle prit à son tour place sur le ventre de la gigantesque peste et logea plusieurs coups de poing sur sa joue.

— … c'est pour les nuits que j'ai passées à pas dormir parce que j'avais trop mal à face. Pis ça…

Dans quinze ans, on lui demanderait pourquoi elle avait terminé sa « visite de courtoisie » avec cette finale absurde et aucune réponse intelligente ne lui viendrait à l'esprit. Meg connaissait parfaitement les conséquences de ce qu'elle s'apprêtait à faire, mais décida de le faire quand même, simplement parce que si la douleur se faisait aussi vive de *son* côté, après une telle collision, l'autre devait forcément souffrir le double. C'est ainsi qu'elle prit une nouvelle fois les cheveux d'Audrey-Maud entre ses doigts et, en fermant les yeux, lui donna un gros coup de tête, directement sur le crâne.

— … ça… C'est pour le fun!…

Sa phrase avait sonné un peu faux, parce que toutes ses forces se concentraient à la garder consciente. Tomber dans les pommes pouvait éventuellement se révéler la pire idée du monde. C'était maintenant terminé… Terminé? Non. Pas encore. D'un geste mou, la manche de son chandail fut tirée à la hauteur de sa main, pour essuyer le sang qui tachait la bouche de son adversaire, incapable de remuer le moindre muscle. Une fois celle-ci propre, Meg fouilla dans sa poche, en sortit le crayon indélébile, le décapsula et dessina une belle grande moustache, très épaisse, sous le nez d'Audrey-Maud.

— Si tu reviens dans mon école, si tu me touches, ou si tu touches à quelqu'un que je connais, je te promets que je reviens. Pis tu croiras pas à ça. Ça fait que *mêle-toi d'tes affaires*. C'tu clair?

Un hochement de tête. De la peur dans le regard de l'adversaire. Satisfaite, Meg se releva et prit le chemin du retour en titubant.

Man… *Ça fait vraiment mal, un coup d'tête! Faut que j'arrête de faire ça!*

CHAPITRE 32

LE COMPLOT

La cloche venait à peine de sonner quand l'interphone bourdonna.

— Mégane Létourneau est demandée au bureau du directeur, s'il vous plaît. Mégane Létourneau, au bureau du directeur. Merci!

— Qu'est-ce t'as fait? demanda Émile.

— Je l'sais-tu, moi?

— T'as-tu remis ta copie? s'inquiéta Maggie.

— Ben oui, comme tout le monde!

Il pouvait s'agir de n'importe quoi, maintenant. Daniel semblait prêt à leur faire la vie dure et à ne leur laisser aucun répit.

— Mademoiselle Mégane! fit ce dernier en voyant entrer la minifille dans son bureau.

Celle-ci ne répondit absolument rien. Elle fit un rapide examen visuel de l'endroit, dans l'espoir de trouver les objets d'Eugène qui avaient disparu de la commode de Zach. Évidemment, elle ne vit rien. Ils étaient sûrement cachés quelque part dans un tiroir ou derrière un meuble.

— Assis-toi, l'invita le directeur.

— Non, c'est beau.

Il la toisa un instant.

— Comme ça, on a eu une réaction allergique, la semaine passée ?

— Ouais.

— Pis Mme Ginette t'a emmenée au secrétariat pour prendre ton Epipen ?

— Ouais.

— C'est drôle, hein ? J'étais pas là, ce jour-là, et « quelqu'un » est venu fouiller dans mon bureau...

— ...

— Je me suis rendu compte de ça aujourd'hui, alors que je cherchais l'objet en question... Bizarrement, il est plus là ? !

— ...

— Au début, j'ai pensé que vous l'aviez peut-être pris quand je vous ai rencontrés, toute la gang, pour vous donner votre copie, mais en y repensant bien, j'ai réalisé que ce jour-là non plus, elle était pas là ? !

— ...

— Donc j'ai fait quelques recherches, et c'est là que j'ai appris ta petite mésaventure de la semaine passée.

Pour une quatrième fois, la minifille refusa de parler. Daniel perdit patience et lança entre ses dents, en évitant de parler trop fort pour ne pas se faire entendre de ses collègues à l'extérieur du bureau :

— Écoute-moi bien, la p'tite morveuse. Je l'sais que c'est toi qui es venue chercher la plaque de marbre qu'y avait sur mon bureau. Si tu me la rends pas tout de suite, je te jure que tu vas souffrir! Des p'tites insolentes comme toi, moi, j'suis capable de gérer ça! C'est pas parce qu'on est dans une école que ça m'empêche de te donner une bonne leçon! Des pois, c'est pas ben ben dur à trouver, pis un Epipen, ça se perd facilement... Tu comprends-tu ce que je veux dire?

Il avait appuyé les mains sur son bureau, de façon à avoir l'air plus imposant. Son regard se voulait menaçant mais n'impressionnait pas du tout le petit bout de fille qui se tenait debout devant lui, un sourcil levé au-dessus de ses yeux ennuyés. Elle fouilla dans sa poche et en sortit la fameuse plaque dont il était question.

— Tu veux dire... ça?

Le visage du directeur sembla s'éclairer.

— Donne, ordonna-t-il en tendant la main.

Au moment où l'homme devant elle s'étirait pour lui prendre l'objet, elle le laissa tout simplement tomber sur le plancher et la plaque éclata en miettes.

— Ah non! fit Meg, faussement. Heille, c'est plate, si t'avais pas enlevé le tapis, a se serait pas brisée.

Une veine surgit au milieu du front de Daniel, qui devint tout rouge.

— DEHOOOORS!!! hurla-t-il.

La minifille se retourna et mit la main sur la poignée.

— J'te jure que ça va pas rester de même! lança l'homme en colère. J'en ai pas fini avec toi!

Avant que la porte ne se referme dans son dos, l'adolescente vit du coin de l'œil le directeur se pencher pour assembler les morceaux brisés de l'indice.

Il ne lui fallut pas plus d'une minute pour rejoindre le reste du groupe. Essoufflée, elle leur dit:

— Faut qu'on fasse le plan de la cachette le plus vite possible! J'viens de redonner l'indice à Daniel!

— Ah non! s'exclama Jade.

— Ouain, mais je l'ai brisé! Sauf que là, y est frustré ben raide, fait qu'y va pas nous lâcher!

— Mais y le sait-tu, ce que ça veut dire, les chiffres sur la plaque?

— Non, pis j'pense qu'y se souvenait même pas de ce qui était écrit, parce qu'y voulait absolument la ravoir.

— Mais pourquoi tu y as redonnée? lui reprocha Émile.

— Heille, qu'est-ce t'aurais fait à ma place?! Pis de toute façon, y m'aurait encore fait vider mes poches, pis y l'aurait trouvée!

— Mais là, c'est quoi l'affaire de la cachette? De quoi tu parles? fit Joël.

— On va essayer d'aller dans la cachette, pis y faut que vous fassiez comme si tout était normal. Laissez-moi aller pis faites semblant que vous savez de quoi je parle.

— Mais de quoi tu vas nous parler? demanda Joël.

— De n'importe quoi!

— Hein? Mais ç'a pas rapport! fit à nouveau le blond joufflu.

La minifille soupira. Il fallait vraiment tout leur expliquer, et le temps ne le lui permettait pas !

— Vous vous souvenez de la caméra ? expliqua Zach, plus patient.

— Ouais ?…

— Daniel le sait pas qu'on est au courant qu'y peuvent nous espionner. Fait qu'on va aller dans la cachette, comme si on avait de quoi de secret à se jaser, pis on va leur faire croire qu'on a trouvé la formule. Comme ça, y vont y aller, pis pendant ce temps-là, nous, on va avoir la paix !

— Ouain, mais on devrait pas attendre qu'on trouve la vraie place de la formule ? proposa Maggie.

— Ben j'pense que j'ai une p'tite idée, annonça Meg.

— HEIN ?! s'exclama le reste du groupe, d'une seule voix.

CHAPITRE 33

COMME SUR DES ROULETTES

Pour une rare fois, tout se passa merveilleu-sement bien. Tellement bien que Zachari craignit qu'il ne s'agisse d'un piège. Jessie-Ann ne fit pas le pied de grue autour de leur groupe et sembla même s'être perdue dans l'école. En chemin vers le local S-80, on ne la vit nulle part. Il fut aussi très facile de pénétrer dans la pièce. La porte n'était même pas verrouillée, et aucun prof ne se trouvait à l'intérieur. Jade s'empressa de refermer à double tour derrière eux pour s'assurer qu'on ne vien-drait pas les déranger. Zachari regarda sa montre, cadeau de Jacques au dernier Noël.

— OK, on n'a pas grand temps, avertit-il.

Le cadenas sur la porte du comptoir avait disparu. Ou plutôt : personne ne l'avait remplacé depuis que Meg l'avait brisé avec l'extincteur.

— C'est vraiment bizarre ! remarqua Maggie. Ça se peut pas que tout aille bien de même !

— Attendez, ordonna Meg. Si ça se trouve, y a quelqu'un qui nous attend dans le trou, pis c'est un piège. Émile, va à la porte, pis si y se passe quelque chose quand on va ouvrir le comptoir, tu cours avertir... cuh...

Qui donc pouvaient-ils aviser, en cas de problème ? Éric n'enseignait plus et il aurait été le seul à comprendre le danger. Le directeur serait le premier à se réjouir de leur malheur ; même chose pour Donovan. Il ne restait que les autres professeurs, qui ignoraient tout de la méchanceté cachée de Daniel et des plans malsains du prof d'histoire et de géographie.

— Chloé ? proposa Maggie.

— Non. Michel, décida Meg.

Un homme serait plus utile si on en venait aux coups. L'enseignant d'éducation physique possédait ce qu'il fallait de muscles pour gérer une bagarre, et ce qu'il fallait de jugement pour comprendre si on devait expliquer la situation.

La fille aux cheveux mauves prit une grande inspiration, pendant que Joël reculait déjà de quelques pas, prêt à s'enfuir. Des gouttes de transpiration commençaient à perler sur le front du grand angoissé, ainsi que sur ses tempes. En un mouvement rapide, la porte du comptoir fut ouverte, et le panneau, poussé. L'obscurité régnait à l'intérieur, les empêchant de voir si quelqu'un était tapi dans l'ombre pour les attendre.

— As-tu encore la fiole, Zed ?

— Oui.

— Quelle fiole ? chuchota Jade.

L'adolescent fouilla dans son sac. Grâce à l'excuse donnée par la minifille, à l'effet qu'il s'agissait d'un outil pour le cours de sciences, jamais on ne la lui avait enlevée. Ni Daniel ni Donovan ne se doutaient qu'en réalité les granules noirs avaient un pouvoir particulier que personne n'arrivait à expliquer… Sauf Eugène, évidemment.

— C'est quoi, ça? demanda Émile, depuis l'autre bout de la classe.

— C'était dans les affaires à Euge. Je sais pas c'est quoi, mais ça fait de la lumière dans le noir.

— Trop cool! s'exclama Joël.

Meg balaya le repaire de son faisceau et constata que rien ni personne ne les y attendait.

— OK, c'est beau. Vite.

Puis, à voix basse, elle ajouta:

— Pis là, cherchez pas la caméra, ça va avoir l'air louche! Faites comme si de rien n'était!

Ils s'engouffrèrent dans la cachette. Zach ne put quand même pas s'empêcher de jeter un œil très discret tout autour, mais ne vit rien. Tout le groupe s'assit en rond, et Meg prit la parole:

— OK. Fallait qu'on se voie le plus vite possible, loin de tout le monde, parce que je pense que j'ai trouvé la formule!

— AH OUAIN?! fit Joël en mettant un peu trop d'intention dans sa réponse.

La minifille lui jeta un regard soutenu et le garçon dodu comprit qu'il avait intérêt à se tenir tranquille. Puis elle reprit:

— J'ai fait des recherches, pis Freda P. Partnam, c'est la sœur du concierge.

— Ça se peut pas, le concierge y s'appelle Smith, fit Zach.

— C'est ça. C'parce que ses parents l'ont adoptée à l'âge de cinq ans. Pis les chiffres qui étaient sur la plaque en roche, y fallait les additionner. Ça donne 38. Comme dans L-38 : le numéro du local du concierge.

— Ouain, mais le deuxième indice ? intervint Jade. Celui qui dit : « C'est aux pieds du cadavre que se trouve la Vérité » ? Ça veut dire quoi ?

— Ben, c'est ça. J'pense que la formule est cachée à deux places. Y a une partie qui est dans ses souliers. Ça confirme l'indice de l'eau – celui qui nous envoie dans le local 38 –, parce que le concierge, y était toujours dans la conciergerie. Donc forcément, ses souliers aussi, c'est logique… Pis l'autre moitié, ben c'est sa sœur qui l'a.

— Wow, mais c'est peut-être vraiment ça, pour vrai ! s'exclama Joël.

— BEN OUI, C'EST ÇA POUR VRAI ! dit Meg d'une voix forte en appuyant sur chaque mot. J'vous en parlerais pas, sinon !!!

Maggie dévisagea le gros garçon, qui oubliait complètement le but de leur visite dans la cachette.

— Ah euh… Ben… Je l'sais, rétorqua ce dernier. C'que je voulais dire c'est juste que… C'est cool que tu l'aies trouvé…

— Pis euh… Sa sœur ? questionna Émile. Est où ?

— A reste dans le village d'à côté. Son adresse, c'est 150, du Pierrot. On a juste à demander à mon père de nous emmener.

Meg inventait avec une telle facilité que Zach n'arrivait jamais à comprendre comment elle faisait.

— Bon, reprit la minifille. Fait que là, faudrait aller à morgue pour trouver les souliers du concierge. Moi, j'pense que la formule est cachée en dessous de ses semelles ou une affaire de même.

— On y va quand ? demanda Alice d'une petite voix.

— Mon père, y m'a dit que le corps arriverait pas avant demain, à cause qu'y fallait qu'y fassent une autopsie. Mais dès qu'y va être là, y faut y aller le plus vite possible avant que l'autre *gros cave de prof d'histoire de marde* y trouve la réponse lui avec.

Il y eut un petit silence durant lequel chacun retint un fou rire impressionné. Meg savait pertinemment que Donovan l'entendrait le traiter de tous les noms. Visiblement, ça ne la dérangeait pas du tout.

— Pis après-demain, on ira chez sa sœur, conclut Meg.

— Bonne idée.

Voyant qu'il n'y avait plus rien à ajouter, ils sortirent du trou, en prenant soin de d'abord vérifier que personne ne se trouvait dans le local.

— C'tu vrai que c'est le nom de sa sœur ? murmura Zach.

— Non.

— OK, parce que ç'aurait pu.

— Ouais, mais non.

— Mais as-tu vérifié ? la questionna Maggie. Parce que c'est pas niaiseux, toute ta théorie, pour vrai…

— Ouain ! lança Joël. Ton affaire de souliers, là… D'un coup que c'est ça pour vrai ?! On le sait pas !

— Ben non, ça se peut pas! répliqua Meg, agacée.

— Ben… Pour vrai, moi aussi j'trouve que ç'a de l'allure, c'que t'as dit, risqua Émile. T'sais, d'un coup que t'inventes tout ça, mais que c'est ça pour vrai?! On va avoir l'air caves d'y avoir vraiment dit était où la formule!

Après un soupir qui exprimait toute la lassitude du monde, leur amie finit par leur expliquer:

— OK! L'affaire du soulier, ça se peut pas, parce que la seule façon de savoir que les indices existent, c'est si le concierge est mort. Quand le concierge est mort, y l'ont emmené à une place où y ont enlevé ses vêtements pour le préparer, pis après ça, y l'ont habillé complètement d'une autre façon pour le mettre dans son cercueil. Qu'est-ce qu'y est arrivé avec ses vieux souliers vous pensez? Y les ont soit jetés, soit donnés à sa famille, pis LÀ sa famille les a jetés, parce qu'y ont rien à faire d'une vieille paire de *running* maganés. Fait que d'une façon ou d'une autre, les souliers (pis la formule, si était dedans) sont dans les poubelles, pis on pourra pus jamais les retrouver. Pensez-vous VRAIMENT que le concierge aurait fait une affaire aussi niaiseuse? Moi, si je voulais que quelqu'un puisse retrouver quelque chose de super important après ma mort, je m'arrangerais pour le mettre à une place où je suis SÛRE que ça bougerait jamais, pis qu'y aurait aucune chance que ça soit jeté ou déplacé par quelqu'un d'autre que moi!

Il y eut un moment durant lequel chacun assimila tout ce qui venait d'être dit. Puis Joël laissa tomber :

— Wow… Maudit que t'es *hot* d'avoir pensé à tout ça !…

Meg baissa le menton, leva une épaule, ne sachant quoi répondre.

— Non mais, pour vrai, combien y pèse, ton cerveau ?

Jade ne put s'empêcher de pouffer de rire, ce qui entraîna tout le monde à sa suite.

— Sauf que là, c'est quoi l'affaire que t'as peut-être une idée de où c'qu'est cachée, la formule ? demanda Maggie. C'tu vrai ?

— Ouais… Mais pas ici. Vous vous connecterez à soir.

CHAPITRE 34

RÉUNION AU SOMMET (PARTIE 2)

Sept heures. Tout le monde devait être en ligne, maintenant. Meg se dirigea dans la chambre d'amis, où se trouvait l'ordinateur, puis elle l'alluma et attendit que le bureau s'affiche. Entrer dans cette chambre lui semblait plutôt triste maintenant que Zachari ne l'habitait plus. La minifille s'était faite à sa présence. Pas qu'elle *s'ennuyait*, mais... Mine de rien, quand on passe un minimum de trois mois avec quelqu'un, vingt-quatre heures sur vingt-quatre, cette personne finit par devenir une sorte d'extension de nous-même. Un allié.

Une icône apparut, avertissant que des mises à jour étaient disponibles. On lui demandait sa permission pour les installer maintenant. Elle cliqua sur « Ignorer », lança le programme de discussion en ligne et entra son mot de passe.

*BuRnInG ArRoW vient de se connecter
*BuRnInG ArRoW a changé son nom
pour RedTearsOnMySkin
• Wizzard13 dit :
Ben non ! tu la po pantoute Émile ! C la kryptonite VERTE qui yenlèv c pouvoir !

• RedTearsOnMySkin dit :

Tu fais une faute dans le mot « pas », mais t'es capable d'écrire « kryptonite » comme il faut. Man. Get a life.

• Wizzard13 dit :

Koi ?

• RedTearsOnMySkin dit :

Laisse faire.

• LaFée♥ dit :

Fait que ? C'est quoi l'affaire, là ? Tu disais que t'avais peut-être une idée pour l'indice ?

• RedTearsOnMySkin dit :

Ouais. Des coordonnées géographiques.

• Olfacman dit :

Ouf. C'était ÇA, ton idée ?

• RedTearsOnMySkin dit :

T'as-tu un problème avec ça ?

• Olfacman dit :

Bin non mais c't'un peu intence… Pis en plus, des cordonnés géograhpique, c'est plus court que ça, me semble, non ?

• Jadistounette dit :

Hihihi ! T'as inversé ton P pis ton H, Émile, dans le mot « géographique » !

• Olfacman dit :

Oups lol !

• Alice dit :

Mais avez-vous pensé de remplacer chaque chiffre par une lettre ?

• LaFée♥ dit :

Tu veux dire genre : A = 1, B = 2, C = 3, etc. ?

• Alice dit :

Oui.

• Zach dit :

ça marche pas, qu'est ce qu'on fait avec le
0 ?

• LaFée♥ dit :

Ça donnerait genre...

• LaFée♥ dit :

DF (le zéro) GEACE – GCEEFGJJ

• LaFée♥ dit :

À moins que 1 et 3 soient ensemble, pis
que ça soit la 13e lettre : M... Donc ça
donnerait : DF (le zéro) GEMCE-GCEEFGJJ

• Wizzard13 dit :

Ouain bin, en 2k peu importe, sa veut po
dire grand chose.

• RedTearsOnMySkin dit :

Pendant que vous étiez en train d'essayer
de remplacer les chiffres par des lettres,
j'ai regardé sur Internet pis les coordonnées géographiques de ces chiffres-là, ça
mène à l'église.

• Jadistounette dit :

POUR VRAI ? ! ? ! ? !

• RedTearsOnMySkin dit :

Oui.

• Wizzard13 dit :

Proche dici ?

• RedTearsOnMySkin dit :

Ben. L'église Saint-Mathieu, là

• Alice dit :

Heille ! C'est pas loin de chez nous !

• Zach dit :

ok mais... Pour vrai ça coûte rien d'allez voir, on saient jamais.

• RedTearsOnMySkin dit :

En tout cas, moi je vais y aller quand même. Avec ou sans vous.

• Jadistounette dit :

Ben LÀ ! C'est sûr k'on y va, d'abord ! Voir k'on va te laisser aller là toute seule !

• LaFée♥ dit :

C'est sûr ! Si tu y vas, on y va toutes !

• Wizzard13 dit :

Kess vous voulez kon trouve ds un église ? ? ?

• LaFée♥ dit :

UNE église, Jo !

• Wizzard13 dit :

Nonon. C'église-là, c't'un gars.

• RedTearsOnMySkin dit :

Personne te force à venir si t'as peur

• Wizzard13 dit :

Ben non la, jvas y allé, mais jpense po kon va trouvé dkoi

• LaFée♥ dit :

Fait que on y va quand ?

• RedTearsOnMySkin dit :

Demain.

• Zach dit :

ah bonne idée c'est justement demain qu'on a dit qu'on iraient à morgue.

• Wizzard13 dit :

Koi ? On va a morgue en + ?

• Olfacman dit:

Ben non Jo!!! Maudit que tu comprends rien! On a FAIT ACCROIRE qu'on irait à morgue demain!!!

• Wizzard13 dit:

OK C sa jpensais J'tais jusse mélangé a cause de ska l'avait écrit!

• RedTearsOnMySkin dit:

OK. Fait que demain soir,
on pourrait rester après l'école
pour «étudier». Faites-vous un lunch,
on va souper là-bas, pis vers 6h
on va partir.

• LaFée♥ dit:

On devrait pas y aller plus tôt pour avoir plus de temps?

• RedTearsOnMySkin dit:

Non, y va faire trop clair.

• Jadistounette dit:

Ben, y fait enkore klair à 6h.

• RedTearsOnMySkin dit:

Le temps qu'on marche y devrait commencer à faire plus noir.

• Zach dit:

faut-tu qu'on amènent de quoi à parts de notre lunch?

• RedTearsOnMySkin dit:

Du linge noir.

• LaFée♥ dit:

On devrait aussi apporter des lampes de poche au cas où!

• RedTearsOnMySkin dit:

Ouain, je sais pas. C'est louche du monde qui se promène proche d'une église avec des lampes de poche.

• LaFée♥ dit :

Ah ouain, t'as raison...

• RedTearsOnMySkin dit :

Bon ben, c'est réglé.

*RedTearsOnMySkin vient de se déconnecter.

• Wizzard13 dit :

Oui merci ! Bonne soiré a toi aussi Meg ! !

• Olfacman dit :

LOL

CHAPITRE 35

L'INJUSTICE A UN NOM

Jessie-Ann se tenait particulièrement tranquille depuis quelques jours. Comme si soudainement, il n'y avait plus aucun intérêt à harceler le garçon aux grosses oreilles et sa bande. Ses suiveuses et elle prenaient toujours soin de ne jamais regarder Meg dans les yeux. Ni personne d'autre du groupe, d'ailleurs. Dans l'autobus, elles parlaient entre elles à voix basse, sans jamais éclater de ce rire mesquin, désagréable à entendre. Quelques regards haineux perçaient parfois en direction de la fille aux cheveux mauves, mais dès que celle-ci levait la tête, les yeux se sauvaient vers le plancher, ou faisaient semblant de fixer autre chose. Elles avaient intérêt, d'ailleurs, puisque la grande perche faisait maintenant l'objet des moqueries de l'école entière.

Pendant la fin de semaine, une vidéo était apparue sur Internet, la montrant faire la danse du bacon par terre en hurlant comme une chèvre possédée par Satan. Tout le monde s'envoyait cette vidéo par courriel et riait de la voir aller. On avait même commencé à l'imiter de façon burlesque quand on la croisait dans les corridors. Un élève sur trois se mettait à gesticuler dans tous les sens en alignant des voyelles dans le désordre lorsqu'il se trouvait en sa présence.

Pour une fois, Jessie-Ann s'abstenait donc d'attirer l'attention sur elle. Et tout le groupe en ressentait les effets. Ça faisait du bien de pouvoir circuler dans l'école sans se sentir observé ; sans avoir l'impression qu'à tout moment une grande fourche pouvait leur faire un mauvais coup ou rapporter leurs faits et gestes à un adulte quelconque dans le but de les faire punir. Non, depuis quelques jours, la rouquine n'avait plus le goût de s'approcher des sept amis. Premièrement, à cause de l'incident de la tarentule ; elle en avait rêvé tellement son traumatisme était grand. Elle en rêvait encore. Et il lui arrivait de se réveiller en criant, la nuit, persuadée que des milliers d'arachnides[25] lui grimpaient sur le corps dans le but de la dévorer. Les araignées étaient sa pire phobie, ce que Meg ignorait ; mais maintenant, il était difficile d'en douter. Puis sa sœur était rentrée à la maison cette fin de semaine-là, les vêtements ensanglantés, le visage massacré, une grosse prune sur le front, et arborant une gigantesque moustache noire ridicule.

— C'est la dernière fois que j'te défends ! l'avait-elle avertie. Là, soit t'arrêtes de chercher l'trouble, soit tu t'arranges tou-seule !

---

25. Arachnide : insecte possédant huit pattes. À ne pas confondre avec la pieuvre. Parce qu'on n'a jamais vu de pieuvre se tirer une toile dans le coin de notre chambre pour attraper sa nourriture. Sauf peut-être dans la chambre de la Petite Sirène, mais c'est pas la même chose… (NDA)

Audrey-Maud connaissait trop bien sa sœur. Loin d'être une enfant de chœur, elle agissait toujours comme une princesse. Dans la famille, on lui pardonnait volontiers, parce qu'on l'aimait. Et parce que tout le monde, dans son clan, agissait un peu comme un roi. Mais le règne de Jessie-Ann venait de prendre fin. Temporairement, peut-être, mais en attendant, personne n'allait se plaindre de cette sainte paix.

L'autre problème, par contre, ne se réglerait pas de cette manière. Car l'autre problème s'appelait Daniel Provencher. Celui-ci venait tout juste d'appeler Meg dans son bureau. La période commençait à peine, et déjà le directeur la réclamait. Apparemment, elle n'était pas la seule. Zach se trouvait là aussi, avec Jade et Maggie.

— Comment ça va ? les salua l'homme.

Personne ne répondit, alors Maggie, mal à l'aise, lui dit que ça allait bien.

— J'ai pas reçu vos copies, lança simplement le directeur en se croisant les doigts.

— Quoi ? ! cria Jade. On vous l'a donnée !

Daniel sourit comme celui qu'on ne peut pas berner.

— Je le saurais si vous me les aviez remises, je pense.

— C'est-tu une joke ? demanda Zach.

— J'ai-tu l'air de quelqu'un qui a envie de rire ? riposta le directeur. J'ai celle de Joël, d'Alice et d'Émile, mais les vôtres, je les ai pas.

— Non, non, c'parce que moi, je vous l'ai donnée en mains propres !

— Moi aussi ! plaida Jade.

— Ben vos mains devaient pas être si propres que ça, parce que je l'ai pas, votre copie.

— C'est quoi, l'affaire, là ? s'indigna Maggie.

Meg avait parfaitement compris le jeu de Daniel. Il les avait bien reçues, les copies. Mais il prétendait le contraire. Pour les narguer. En silence, elle fixait son visage de menteur hypocrite et essayait de trouver une façon de le prendre à son propre jeu.

— On va la refaire, dit-elle au bout de quelques secondes.

— NON ! s'écria Jade. Moi je refais pas ça, c'est super long pis ça fait mal aux doigts !

La fille aux cheveux mauves se tourna vers la belle sans un mot. Cette dernière comprit que son amie manigançait quelque chose et décida de se taire. Le directeur soupira, comme s'il était en train de prendre une décision difficile.

— OK. Mais au lieu de deux cents fois, ça va être trois cents. Et si c'est pas sur mon bureau demain matin, là c'est vrai : je vous fais couler votre année.

— Demain ? ! s'exclama Jade. Ça va nous prendre toute la nuit !

— Ça prendra le temps que ça prendra ! C'était à vous de me la remettre à temps ! Vous êtes encore chanceux que je vous donne une chance !

— On vous l'A remise à temps ! ! !

— OK, coupa Meg. Mais je veux que tu nous le mettes sur papier.

— Quoi, ça ?

— Ce que tu veux qu'on fasse.

— … M'OK.

Il prit une feuille de papier, sur laquelle il écrivit :

« Copiez la phrase :

À l'avenir, je me tiendrai tranquille dans l'école et je respecterai les règlements

(300X) »

Meg prit la feuille et demanda :

— C'est tout ?

— Oui…

Elle allait sortir, quand Daniel ajouta :

— Ah ! Attends ! Vous la ferez signer par vos parents, aussi, tiens.

En retournant à leur cours, Zach lui demanda :

— Tu veux-tu vraiment qu'on recommence la copie ?

— Ouain ? fit Jade. Parce que moi, y est pas question que je me laisse manipuler par un gros cave comme lui ! J'vais faire une plainte si y faut !

— Pis tu vas la donner à qui, ta plainte ? lui fit remarquer Maggie. C'est LUI qui reçoit les plaintes !

— Ben j'vais aller la porter directement à commission scolaire, si y faut, mais c'est pas vrai qu'on va se faire torturer comme ça à l'école !

Les larmes montaient dans ses yeux à mesure qu'elle parlait. Zachari eut envie de la serrer dans ses bras pour la consoler[26].

---

26.   Et aussi un peu parce qu'il était amoureux d'elle depuis presque deux ans. (NDA)

— Personne va nous croire, on est juste des élèves, déclara Maggie, amèrement.

— Ouain, ben des élèves, quand ça se met en gang, ça peut réussir à faire comprendre à une commission scolaire qu'y a quelque chose de pas normal !

— De toute façon, on n'a pas le temps, répliqua Meg. Lui y veut juste nous écarter de l'équation pour ce soir. Y veut pas nous avoir dans les jambes parce qu'y pense qu'on s'en va à la morgue nous autres aussi.

— Mais pourquoi y a pas « perdu » la copie d'Émile, d'Alice, pis de Joël aussi ?

— Parce que si on est pas là, eux autres iront pas tou-seuls. Joël, y a peur d'un cheveu qui tombe ; Alice, est trop tranquille, pis Émile, y fera jamais rien sans nous autres.

— Fait qu'on va la refaire au complet, c'est ça ? conclut Jade, toujours inquiète de devoir reprendre une punition injuste pour la deuxième fois.

— Non. On va faire exactement ce qu'y veut qu'on fasse.

— DONC, on va la refaire au complet ! Je l'savais ! Maudit que je l'haïs, je l'haïs, JE L'HAÏS !!!

Elle s'en alla en essuyant le fleuve qui coulait sur ses joues. Meg leva un sourcil d'ennui et partit vers son local de classe.

Au dîner, les trois autres s'insurgèrent en apprenant la nouvelle.

— Lui, là !… cracha Émile entre ses dents.

— Le plan change pas, les avertit la minifille.

— Ben non, le plan change pas…, rouspéta la belle. Comment tu veux qu'on fasse c'qu'on voulait faire si on est pognés à faire une maudite copie toute la soirée ! On n'aura jamais fini à six heures !

— Le plan… *ne change pas.* Calme tes nerfs, j'vais vous expliquer tout ça ce soir. Là, j'ai besoin de vous autres à midi.

— Pourquoi ?

— On va aller dévaliser le bureau à Donovan.

— Encore ? ! Pourquoi ? ! demanda Joël, déjà en mode nerveux.

— Parce que c'est peut-être lui qui a l'indice de la terre, *DUH* ! Avez-vous oublié c'qu'on est en train de faire, coudon ?

— Ben non, mais…

— Ben c'est ça ! À midi à la case à Jade, pis perdez pas votre temps.

CHAPITRE 36

JAMAIS QUATRE SANS CINQ, SIX, OU SEPT...

La patience de leur amie paraissant fragile ces derniers temps, personne ne prit le risque d'arriver en retard à l'heure du dîner.

— Bon, on fait comment? fit Émile.

Donovan se trouvait normalement dans la salle des profs à cette heure-ci. Si par malheur il devait dîner dans son bureau, il faudrait trouver une ruse pour l'en faire sortir et l'éloigner assez pour qu'un des sept puisse aller fouiller. Ils montèrent donc au troisième et, heureusement, l'homme n'y était pas. Mais la porte, évidemment, refusait de s'ouvrir sans la clé.

— Voyons, pourquoi y barrent toujours leurs maudites portes? Y ont-tu peur qu'on aille voler? rechigna Meg.

— Ben, techniquement... c'est pas mal ÇA qu'on essaye de faire, souligna Joël.

— Je l'sais!

— OK! J'disais ça d'même...

— Qu'est-ce qu'on fait? s'enquit Maggie.

— Allez voir si y a quelqu'un d'autre sur l'étage.

Personne d'autre. Tout le monde mangeait ou vaquait à ses occupations ailleurs.

— Émile, pète la fenêtre.

— Quoi? fit ce dernier en espérant que son amie blaguait.

— Pète la fenêtre! Grouille!

— Mais, mais…

La minifille leva les yeux au ciel et, sans attendre une seconde, asséna un violent coup de coude dans la vitre de la porte. Celle-ci éclata, bien entendu.

— Me semble que c'était pas si compliqué! Pourquoi faut toujours que j'fasse toute, icitte?

Elle passa le bras à l'intérieur et tourna le verrou, pendant que leur ami blond commençait à surveiller autour, de peur que quelqu'un les entende ou les voie.

— Une chance qu'y ont pas changé les portes quand y ont rénové, observa Alice. Sinon, on était foutus.

Encore une fois, c'est Meg qui s'autodésigna pour aller fouiller le bureau. Zach prit l'initiative de surveiller la cage d'escalier pendant ce temps. Maggie s'occuperait de celle à l'autre bout du couloir.

— Bon ben, go! lança Jade.

Personne n'eut le temps de faire quoi que ce soit, parce que dès que la porte fut ouverte, une alarme se déclencha.

— QUOI?! UNE ALARME POUR UN LOCAL?! s'étonna Émile en forçant la voix pour couvrir le son strident. C'EST N'IMPORTE QUOI!

— Y DOIT L'AVOIR INSTALLÉE LUI-MÊME! cria Jade.

— FAUT QU'ON S'EN AILLE AVANT QUE QUELQU'UN ARRIVE! les avertit Alice, qui n'avait jamais parlé aussi fort de toute sa vie.

Meg entra tout de même.

— HEILLE, QU'EST-CE TU FAIS?! hurla le sportif.

Elle se foutait bien de cette alarme. Ils n'avaient pas fait tout ça pour rien. Rapidement, elle fouilla partout à la recherche de quelque chose de suspect. Ce bureau parfaitement en ordre *devait* cacher le dernier indice. Sinon, pourquoi installer une alarme?

— MÉGANE, DÉPÊCHE-TOI S'IL TE PLAÎT! la pressa Alice.

— Y A DU MONDE QUI S'EN VIENT!!! dit Zach en arrivant près du local. Y SONT EN TRAIN DE MONTER LES MARCHES!

Un dernier tour d'horizon. Très très vite. Il fallait trouver quelque chose!

— MEG!!! ARRÊTE DE NIAISER! C'EST PAS DRÔLE, LÀ! s'en mêla Joël, qui allait faire dans ses culottes si cette fille continuait de jouer avec ses nerfs.

— Merde! pesta cette dernière.

Elle allait sortir quand un petit objet attira son attention depuis le haut de la bibliothèque.

Sans prendre le temps de réfléchir, la mini-fille s'étira, mit la main sur sa trouvaille et sortit en courant.

— SUIVEZ-MOI! ordonna-t-elle au reste du groupe.

Dans une course folle, elle entraîna tout le monde aux toilettes. Chacun entra dans une cabine et referma la porte. Dans la petite salle, on n'entendait plus que le son des respirations haletantes qui tentaient de reprendre un rythme normal.

— Tabarouette ! chicana la fille aux cheveux mauves, après quelques secondes.

— Qu'est-ce t'as… trouvé ? la questionna Jade.

— Pas ici ! siffla leur amie.

Le corridor se remplissait de gens, tous curieux de savoir ce qui causait un tel boucan au troisième étage. On entendait des élèves s'exclamer devant la vitre cassée. D'autres criaient au voleur. On percevait beaucoup de mouvement, là, dehors.

— OK, on sort, annonça Meg.

À la file indienne, ils sortirent tous et se mêlèrent à la foule.

— Par là ! indiqua Zach en pointant la cage d'escalier la plus éloignée.

— NON, ordonna son amie aux cheveux mauves.

Cette dernière s'arrêta devant le bureau et fit mine d'essayer de voir ce qui se passait.

— Qu'est-ce tu fais ? ! lui chuchota Maggie. On peut pas rester ici !

— Non seulement on peut, mais on VA rester ici, répondit-elle.

— Moi, j'm'en vais en bas ! les avertit Joël.

— Moi avec, lança Émile.

— OK, bye !

La minifille n'en démordait pas. Elle voulait absolument rester sur les lieux du crime. Les deux garçons s'éloignèrent, et Jade courut les rejoindre. Pas du tout convaincus de ce qu'ils faisaient, Zachari, Maggie et Alice restèrent aux côtés de Meg, en espérant que cette dernière n'avait pas perdu l'esprit.

— Qu'est-ce qui se passe, ici ?! hurla Donovan en sortant de nulle part. Qui a fait ça ?!

Le prof entra dans son bureau pour constater les dégâts. Une rotation sur lui-même lui permit de voir que ses tiroirs étaient tous ouverts, sens dessus dessous. Puis il eut le réflexe de vérifier le haut de sa bibliothèque.

— QUI EST VENU ICI ?! tonna-t-il en constatant que des objets avaient disparu. QUI ?!

Son regard se porta sur la foule. Il pointa un doigt vers Meg, qui fit appel à toutes les forces de son corps pour contrôler sa crainte. À vrai dire, elle n'était pas complètement certaine de son astuce.

— VOUS ! Vous allez venir avec moi chez le directeur TOUT DE SUITE !

— Non, c'est pas eux autres, c'est sûr ! plaida un garçon. Y viennent juste d'arriver ! Y étaient même pas là, tantôt !

L'enseignant crispa sa mâchoire, en même temps que la minifille relâchait les muscles de la sienne. Donovan ne pouvait pas les chicaner. Il fallait se rendre à l'évidence : ils ne seraient pas encore sur place si c'étaient eux qui avaient commis la faute. Quand on fait quelque chose d'interdit, on va se cacher. On ne reste pas là pour se faire prendre.

— Sont où, vos trois amis? leur demanda-t-il. Le p'tit gros, le sportif, pis la fille aux cheveux foncés?

Zachari, blanc d'anxiété, oublia momentanément de se sentir offusqué de l'insulte portée envers Joël et se tourna vers sa complice de toujours en espérant que celle-ci saurait quoi répondre. Elle haussa simplement les épaules en levant les sourcils, d'un air impassible.

— Allez-vous-en! finit par ordonner Donovan, excédé. Tout le monde! Y a rien à voir! ALLEZ-VOUS-EN!!!

Le corridor se vida lentement. De toute façon, la cloche allait bientôt sonner.

— Qu'est-ce t'as trouvé, finalement? demanda Zachari.

— Les objets à Euge.

— Hein?! Mais... Ça veut dire que c'est LUI qui est venu voler chez vous?!

— Ç'a l'air à ça.

CHAPITRE 37

QUAND LE PLATE S'ACCUMULE

Jade, Émile et Joël se retrouvèrent au bureau du directeur dès le début du troisième cours. On les accusa des délits commis dans le repaire de Donovan, et pendant plus de dix minutes, une pluie de questions s'abattit sur eux. Les deux hommes les asticotaient sans relâche. La belle était sur le point de craquer quand Daniel décida enfin de les laisser partir, après, bien entendu, avoir vidé le contenu de leurs sacs, de leurs poches et de leur dignité. Meg, Zach, Maggie et Alice furent ensuite appelés à leur tour, par mesure de précaution. La minifille cacha les objets dans son pupitre avant de partir, sachant trop bien quel sort l'attendait en bas. Tous, sans exception, durent expliquer ce qu'ils avaient fait pendant la période du dîner. Les histoires différaient sur plusieurs plans. Tout entrait en conflit, personne ne disait exactement la même chose. Ce qui fit entrer le directeur (et Meg) dans une colère noire.

— Vous allez finir la période en détention, annonça-t-il.

La « détention » était en fait l'ancienne « correction », que le nouveau directeur avait rebaptisée en commençant son règne. Les élèves punis pendant un cours devaient se rendre dans une classe précise et faire de la copie, ou un travail donné, jusqu'à la fin du cours, sous le regard d'un surveillant à la face de bœuf. Évidemment, personne ne pouvait parler, sinon les conséquences seraient pires encore. Le but de la détention était surtout de sortir les élèves tannants d'une classe pour avoir la paix, tout en les faisant suer sur une tâche ennuyante à mourir.

Les sept amis durent donc écrire une dissertation de trois pages sur «l'honnêteté». Et s'ils n'avaient pas terminé à la fin de l'heure, la dernière période y passerait aussi. Sans surprise, ils apprirent que dans le cas où le travail forcé ne serait pas remis à la première heure le lendemain, on les pendrait par les pieds jusqu'à ce que leur cerveau explose[27].

— Là, on manque toutes les révisions à cause de lui! ragea Maggie.

— Ouain, mais c'est ça qu'y veut: y veut qu'on redouble notre année! expliqua Émile.

— Pis c'est pas comme si on n'avait pas déjà une maudite copie à recommencer avant demain matin! se plaignit Jade. On n'y arrivera jamais, pis on va redoubler pour vrai!

À la pause, les sept amis trouvèrent chacun leur casier ouvert. Les cadenas avaient été coupés. Les livres, pêle-mêle, laissaient deviner une fouille approfondie.

---

27. OK, je l'avoue: j'ai *un peu* exagéré, là… (NDA)

— Là, ça va trop loin! se plaignit Alice, en colère.

— Attache-toi, parce que c'est pas fini, l'avertit Zachari en refermant le sien.

— Y nous lâcheront jamais, laissa tomber Maggie.

— Je sais pas qu'est-ce que Donovan a dit au directeur pour l'embarquer là-dedans…, réfléchit Maggie.

— Je l'sais pas, mais…

La minifille commençait à élaborer un plan diabolique.

— Mais quoi? demanda Joël.

— Ben… Des fois, on s'associe pas aux bonnes personnes. Pis des fois, les personnes qu'on pense qu'y sont nos amis… Ben, c'est eux-autres qui nous trahissent…

— De quoi tu parles?

— Si je mets les objets à Euge dans les affaires à Daniel…

— Hon!… Comme ça, Donovan, y va penser que c'est Daniel qui est venu voler dans son local?! comprit Zach immédiatement.

— Mais où tu vas les mettre? fit Maggie. Tu pourras jamais rentrer dans son bureau sans que personne s'en aperçoive.

Romann, le grand sportif à la peau foncée, passa à cet instant et s'arrêta près du groupe.

— Heille, j'avais oublié de vous dire: merci, les gars, pour les billets; c'était vraiment le *fun*!

— De rien, répondit Zachari avec un certain malaise.

Le garçon repartit en souriant.

— Quels billets? fit Émile. Je comprends pas?

— J'y ai donné les billets de hockey.

— QUOI?! Mais j't'les avais donnés à TOI!

— Ouain, mais j'les voulais pas.

— Ben, t'aurais pus juste me le dire, pis j's'rais allé, moi! C'est quoi, ton problème?!

— On en reparlera, OK?

Expliquer devant Jade les raisons pour lesquelles il avait choisi de les offrir à quelqu'un d'autre lui semblait délicat et… gênant.

— NON! J'veux savoir pourquoi t'as fait ça! C'est chien, *man*!

— Ah, parce que c'était pas chien, c'que TOI t'as fait, peut-être?

— De quoi vous parlez? se mêla la belle.

L'histoire complète revint alors dans la tête d'Émile. Pendant les olympiades, il avait caché le maillot de son ami juste avant la compétition de natation, simplement pour lui prêter le sien et paraître «héroïque» devant Jade, après que cette dernière eut serré d'un peu trop près le garçon aux grosses oreilles. De la jalousie. Pure et simple. Qui avait nui à Zach lors de l'épreuve et lui avait fait perdre tous ses points. Pour se faire pardonner, il avait offert les billets à son compagnon en lui avouant sa faute.

— On parle de rien…, laissa-t-il tomber. On en reparlera, comme tu dis…

De toute façon, il serait bientôt l'heure de retourner en détention. Meg s'éclipsa, se rappelant que les objets de leur ami scientifique se trouvaient toujours cachés dans son pupitre de la classe d'anglais. Heureusement, il ne fut pas trop difficile de les récupérer. En revenant, elle croisa le directeur, qui se tenait devant l'imprimerie. La dame qui y travaillait était en train de lui faire signer une attestation, et il avait déposé sa mallette par terre en attendant de prendre possession de sa commande. La minifille ne prit pas le temps de réfléchir et se lança vers cette occasion parfaite. En approchant de manière subtile, elle laissa furtivement tomber les inventions dans le sac de cuir de l'homme. Celui-ci se retourna presque aussitôt, sentant la présence de quelqu'un à ses côtés. Le sang vira dans les veines de l'adolescente, qui craignit de s'être fait surprendre.

— Qu'est-ce tu fais là, toi ? La cloche a sonné, et je doute que tu aies fini la diss…

— Fallait que je te parle. J'voulais te dire…

Mieux valait l'interrompre avec une bonne raison, avant qu'il ne pense à une nouvelle torture.

— Quoi ? Qu'est-ce que tu voulais me dire ? demanda bêtement l'adulte, impatient.

— Je m'excuse de t'avoir accusé d'avoir défoncé ma maison. J'étais…frustrée, pis… C'est ça. J'ai dit n'importe quoi. J'm'excuse.

Daniel leva un sourcil en bombant légèrement le torse. Présenter des excuses à un être aussi dégoûtant donnait déjà envie à Meg de se vomir les intestins sur le plancher[28]. Mais avec l'air

28. Une idée douteuse. C'est très difficile de vivre sans intestins. (NDA)

supérieur que se donnait en plus le directeur à ce moment précis en l'entendant demander pardon, elle devait se retenir de toutes ses forces pour ne pas lui enfoncer le nez à coups de masse ou lui planter un compas dans l'œil.

— Ah… Eh bien je vois que ta dissertation sur l'honnêteté fait effet, lui lança-t-il avec un sentiment de toute-puissance. Y te reste juste à apprendre à contrôler tes émotions, maintenant. Ça t'éviterait de dire des niaiseries… C'est bon… Retourne en détention. Pis réfléchis, la prochaine fois, avant de parler.

Courroucée, la minifille fit volte-face et marcha d'un pas rapide en se répétant mentalement : *L'important, c'est que t'aies réussi. L'important, c'est que t'aies réussi. L'important…*

Elle donna quand même un violent coup de pied dans une poubelle. Ce qui lui apporta une satisfaction… modérée.

CHAPITRE 38

RESPECTER LES RÈGLEMENTS

Les cours venaient de prendre fin. Les sept amis attendaient en silence dans la cafétéria que l'école se vide. Jade sortait déjà ses papiers et crayons en soupirant comme une condamnée. Joël en profitait pour se ronger un ongle, et Zachari entamait la troisième page de sa dissertation sous le regard froid d'Émile. Maggie et Alice étudiaient, ayant terminé le travail de détention, et Meg surveillait le mouvement dans le corridor. Jessie-Ann traversa la salle en reniflant de mépris. Ses suiveuses la soutenaient totalement et levaient le menton en affichant un air de dédain.

— Y peuvent ben rester après l'école pour étudier, chuchota la grande rousse. Sont tellement nuls pis caves…

Aucun des visés ne l'entendit. Et de toute façon, on n'avait pas le temps de se préoccuper de son cas. Une grosse soirée les attendait. Il fallait se préparer.

— OK. Pour la copie, laissa tomber la minifille en sortant le papier de directives écrites par Daniel, on va faire exactement ce que le directeur nous a dit de faire. C'est écrit là. Noir sur blanc…

— En fait, c'est bleu, précisa le dodu. C'est écrit *bleu* sur blanc…

Il reçut un regard qui contenait toutes les foudres du ciel réunies.

— C'est beau! J'ai rien dit! se rétracta-t-il.

— Fait qu'on va écrire…

La fille aux cheveux mauves se pencha sur sa feuille vierge et inscrivit, tout en dictant à voix haute:

— À l'avenir, je me tiendrai tranquille dans l'école et je respecterai les règlements.

(300X)

Puis elle nota son nom dans le coin, en haut à gauche, et rangea son crayon.

— Tu niaises? fit Jade.

— Pantoute. C'est ça qu'y veut qu'on fasse, r'garde: «Copiez la phrase».

— Ben oui, mais on le sait qu'y veut qu'on la copie trois cents fois, remarqua Zachari.

— Bah. En ce qui me concerne, la parenthèse avec le 300X, ça fait partie de la phrase. Y voulait que je la copie; je l'ai copiée. Telle quelle. Y peut pas me reprocher quoi que ce soit. Si y voulait que j'écrive trois cents fois sa maudite phrase, y avait juste à marquer «Écrivez trois cents fois la phrase suivante: «À l'avenir… bla, bla, bla.».

— Mais on peut pas faire ça! s'exclama Maggie. Y va nous tuer!

— Mets-en qu'on peut! Après tout ce qu'y nous a fait, y a rien à dire. Pis si en plus nos parents l'ont signée, y peut rien faire, parce que ça va vouloir dire qu'y approuvent. Rendu là, qu'est-ce tu veux qu'y fasse ? Qu'y donne une copie à nos parents ? Ça m'étonnerait.

Un moment de réflexion s'installa. Personne n'était certain de bien vouloir commettre cet affront. Après quelques secondes, Jade sourit franchement et déclara :

— OK, j'suis *game* ! Je l'fais !

— Moi aussi, lança Zachari.

Maggie décida d'accompagner les autres dans la révolte. Il suffisait de bien expliquer la situation à leurs parents. Ceux-ci comprendraient. Aucun d'eux n'avait besoin de l'histoire du kidnapping pour réaliser que leur directeur était un fou. Après tout, ils connaissaient leur enfant. Ni Maggie, ni Alice, ni Zachari n'étaient du genre turbulent ou mal élevé. Il était temps de mettre fin à ce règne de terreur.

Ils terminèrent quand même la fameuse dissertation. Leur courage avait des limites. De toute façon, il ne manquait pas grand-chose avant que ça ne soit fait… Et tant qu'à avoir travaillé dessus durant trois heures, autant se donner la peine de la finir. Ils mangèrent ensuite dans le calme plat de l'école.

— Ah merde, j'pense que j'ai oublié ma cuillère ! fit Joël en ouvrant son yogourt.

— Ben là… Bois-le ! lui suggéra Maggie.

— Ben non, ça se boit super mal… Y va en rester plein dans le fond !

— Heille… ÇA, ça serait grave !

— Ah non, c'est beau, je l'ai ! Fiou !

Un nouveau concierge lavait tranquillement les planchers sans se soucier d'eux. Les
secrétaires se préparaient à quitter l'école elles
aussi, ainsi que les professeurs. Six heures
arriva bientôt.

— OK, on part, annonça Meg.

— On apporte-tu nos sacs? demanda Alice.

— Pas le choix, on reviendra pas avant
demain.

Ils se changèrent et se mirent en route, éclairés
par les derniers rayons du soleil qui se couchait en
prenant bien son temps.

— Quand est-ce que vous pensez qu'on va
arriver? s'enquit Joël, soudainement.

— Dis-moi pas que t'es déjà fatigué, parce que
j'te frappe! lança Émile.

— Non, non, c'est juste pour savoir!

— On devrait être là dans une demi-heure,
une heure, à peu près. Zed, t'as-tu ta montre?

— Ouais.

— Moi, j'ai emporté une lampe de poche, dit
Alice, mais une mini… Juste au cas où.

— De toute façon, j'ai la fiole de lumière, les
informa Zach.

— Pis moi, j'ai apporté de l'ail! lança leur ami
dodu.

Tout le groupe éclata de rire.

— Ben quoi?! Ç'a servi, la dernière fois!

Ce moment de légèreté détendait les esprits.
Cette année semblait s'éterniser jusqu'à ne plus
vouloir finir, et depuis la rentrée, le groupe avait
eu à traverser trop d'émotions et d'obstacles pour

ne pas rêver à des vacances. Mais le pire restait encore à venir…

CHAPITRE 39

L'HEURE DES MISES AU POINT

— Pourquoi t'as donné les billets?

Zachari traînait derrière les autres. Il avait ralenti le pas pour pouvoir bénéficier d'un peu de solitude, de tranquillité. Le voyant faire, Émile était allé le rejoindre pour le questionner et lui faire part de son mécontentement. Ce qui gâcha le moment.

— Parce que j'avais l'impression que t'essayais de m'acheter, lui balança le garçon, franchement.

— J'essayais pas de t'acheter!

— Peut-être, mais si j'y allais, c'est comme si je te disais : « OK, c'est correct ce que t'as fait, ça me dérange pas. » Pis ça me dérangeait.

— Ouain, mais t'aurais pu m'les redonner!

— J'aurais pu, mais... J'étais fâché, bon.

— Pourquoi?! Je venais de m'excuser, pis de te donner des billets!

Comme si des excuses et un cadeau pouvaient faire disparaître toute la colère de quelqu'un d'un seul coup!

— Heille, comment tu te sentirais, toi, si mettons, j'avais... Je l'sais pas, moi... Si j'avais (embrassé Jade) devant toi, pis qu'après, j't'ais venu te voir en disant : « J'm'excuse, tiens, v'là des billets de hockey » ? T'aurais-tu été moins fâché ?

— Ben là… C'pas la même chose…

— C'est EXACTEMENT la même chose.

Son aplomb le surprenait lui-même. Jamais auparavant, Zachari ne se serait laissé aller à dire exactement le fond de sa pensée. Soit son niveau de stress lui enlevait toute sa retenue, soit le fait d'habiter chez Meg pendant trois mois l'avait changé. La deuxième option semblait plus probable. Cette fille l'influençait. Il fallait se rendre à l'évidence. Sans elle, jamais, de toute sa vie, il n'aurait accepté de remettre une copie bâclée.

J'aurais jamais fouillé dans le bureau du concierge, non plus. Ni dans celui à Donovan… Pis je me serais jamais caché dans l'école pendant toute une fin de semaine…

Oui, cette fille détenait sur lui un pouvoir d'hypnose. Il la suivait partout, dans toutes ses folies, aveuglément, sans se poser de questions, en lui faisant totalement confiance.

Je l'sais pas si maman a dirait que Meg c'est une mauvaise influence pour moi ?…

Au fond de son cœur, le garçon croyait sincèrement que son amie étrange et rebelle agissait quand même toujours pour les bonnes raisons.

Sans elle, on n'aurait peut-être jamais retrouvé les élèves disparus.

N'empêche que ses techniques douteuses laissaient parfois à désirer…

Le sportif n'ajouta rien à la discussion et courut rejoindre leur belle amie, qui marchait loin devant, pendant que Zach continuait à se poser des questions à propos d'un sujet tout autre dans sa tête. Meg ralentit le pas jusqu'à arriver à la hauteur de son complice.

— Bravo, dit-elle.

— De quoi?

Ça ne lui ressemblait pas de lancer des fleurs. Qu'est-ce qui se cachait derrière ce bravo?

— Tu viens juste d'y dire que tu le sais qu'y aime Jade.

— Ouain, pis?

— Comment tu vas faire, astheure, pour te rapprocher d'elle sans avoir l'air du gars qui essaye d'y piquer?

En effet. Zach n'avait pas pensé à ça.

CHAPITRE 40

REGARDER PLUS LOIN QUE LE BOUT DE SON NEZ

La petite église se trouvait à mi-chemin entre deux intersections, bien installée sur une petite colline, comme une poule couvant ses œufs. Son clocher s'élevait très haut dans le ciel, surplombant la ville. Un calme serein enveloppait les environs. Les maisons, voisines bienveillantes et ordonnées, semblaient se préparer pour la nuit qui s'installerait tôt ou tard. Un vent frais soufflait paisiblement pour rappeler aux vivants que l'été n'était pas tout à fait commencé. Les sept amis arrivèrent sur le terrain, un peu intimidés et incertains. Leur mission demeurait floue pour le moment. Aucun d'eux ne savait exactement quoi chercher, où regarder, ni si les chiffres étaient effectivement des coordonnées géographiques. Il se pouvait même que Meg se soit trompée et que cette escapade se révèle complètement inutile.

— AAAAHHHHHHH ! s'exclama Joël en s'affalant sur le gazon. J'ai jamais autant marché de toute ma vie !

Les autres l'imitèrent, question de prendre une pause bien méritée. Une voiture passa, faisant sursauter Jade.

— Calme-toi… On a le droit d'être ici, lui lança Émile, gentiment. C'est un lieu public, tout le monde peuvent venir à l'église quand y veulent.

— Le monde, c'est singulier ! intervint Zachari en jetant un coup d'œil rempli de fierté vers la minifille. Y faut dire : « le monde *peut* venir à l'église quand y *veut* » !

Il avait appris sa leçon. Combien de fois Meg s'était-elle fâchée contre lui à ce sujet, en le menaçant de lui faire boire du ciment, ou de lui ouvrir la trachée ?

Le sportif, par contre, n'apprécia pas de se faire reprendre.

— *Whatever.*

Il se releva et alla faire le tour de l'édifice, laissant les autres derrière.

— Ben voyons. C'est quoi ? Y est fru, tout d'un coup ? observa Maggie.

— Bah, y doit être fatigué, c'est tout, déduisit Jade.

Il faisait de plus en plus sombre à l'extérieur. Arriverait bientôt l'heure de se mettre en branle. La minifille se leva à son tour, scrutant les environs.

— Qu'est-ce qu'on fait ? demanda leur ami blond pour la énième fois.

— On va commencer par regarder si y aurait pas une façon d'entrer.

— Tou-suite? On devrait pas attendre un peu?

— On n'a pas toute la vie. Awèyez, on y va.

Chacun fouilla dans ses réserves d'énergie pour se remettre debout. La porte de devant était verrouillée. Les vitraux ne s'ouvraient pas, évidemment. Il faudrait trouver une autre solution. Sur le côté, même scénario. Une entrée qui menait au sous-sol (ou aux fondations) était condamnée par un gros cadenas. Personne n'y avait mis les pieds depuis des siècles, à en juger par l'amas de poussière et de saleté qui s'y trouvaient.

— Y a une fenêtre en arrière! lança Émile en passant la tête de leur côté.

Tous s'élancèrent vers lui pour vérifier ses dires. La fenêtre en question se trouvait en hauteur. Il fallait calculer trois, peut-être quatre mètres pour l'atteindre.

— Faudrait qu'on se fasse la courte échelle, proposa Maggie.

Aussitôt dit, aussitôt fait. Pendant que les filles montaient la garde de chaque côté de la chapelle, question de voir si quelqu'un arrivait de la rue, Joël et Émile s'évertuèrent à hisser Zachari, le moins costaud des garçons, jusqu'à la vitre. Il fallut quelques essais avant de trouver la technique la plus sécuritaire et efficace. Aucun des trois ne possédait les talents d'un artiste de cirque, et le voltigeur amateur passa près de tomber à plusieurs reprises. Une clavicule ou une articulation brisée était bien la dernière chose dont ils avaient besoin. Finalement, à force de transpiration et d'efforts, ils trouvèrent une position. Celle-ci se révéla précaire, soit, mais passablement confortable.

— OK, descendez-moi, fit Zach, à peine quelques secondes plus tard.

Impossible de s'infiltrer par là. La fenêtre était double, fermée par des loquets et bloquée à l'intérieur par un bout de bois. Meg alla vérifier à son tour, doutant de la débrouillardise de son ami pour ouvrir un passage, mais dut avouer qu'à moins de faire de la magie, il serait bien difficile de forcer le mécanisme.

— Là, j'espère que tu penses pas à péter une vitre encore, parce que moi c'est sûr que je reste pas ici si tu fais ça ! dit Maggie en regardant l'adolescente aux cheveux mauves.

— Euh… non, répondit celle-ci, avec le ton qu'on lui connaissait. C'est une ÉGLISE, j'suis pas mongole à ce point-là. J'ai un minimum de respect, quand même.

Ils refirent le tour de l'édifice pour s'assurer que rien ne leur avait échappé. C'est la mine basse qu'ils retrouvèrent le terrain avant.

— Ça veut dire qu'on a fait tout ça pour rien, observa Jade.

Pendant la minute qui suivit, chacun d'eux se prépara mentalement à prendre le chemin du retour, l'espoir anéanti et les mains vides.

— J'espère vraiment qu'on n'a pas envoyé Daniel pis Donovan à bonne place pis que nous autres, comme des caves, on cherche pas dans le vide, pensa Joël à haute voix.

— J'te l'ai dit que ça se pouvait pas…, répliqua une Meg plutôt absente, occupée à fixer un point au loin avec attention.

— Qu'est-ce qu'y a? s'informa Alice en suivant son regard.

— J'suis en train de penser…

Un silence suivit sa phrase, laissée en suspens.

— Quoi? fit Zachari.

— Le cimetière… Ça appartient à l'église, ça, me semble?

— Le cimetière? s'étonna le dodu. Qu'est-ce tu veux qu'on trouve là-dedans? Y a juste des morts, pis des fleurs, pis des pierres tombales!

— Y a de la terre, aussi…

— Ben oui mais attends, là, s'en mêla Émile. Ça nous dit quand même pas plus où creuser! T'sais, si c'est ça, y a de la terre partout! Pis on va pas se mettre à faire des trous dans un cimetière juste pour le fun.

— Moi, j'm'en vais pas d'ici sans être allée voir.

Cette phrase mettait toujours un point final aux discussions. D'une façon ou d'une autre, on le savait: Meg irait jusqu'au bout de sa pensée, et à moins de trouver un argument béton, rien ne la ferait changer d'idée. Et aucun de ses amis ne la laisserait se lancer dans l'aventure toute seule, ne serait-ce que pour la protéger d'éventuels dangers. S'il fallait que la minifille se blesse ou subisse un grave accident alors que les six autres savaient pertinemment ce qu'elle s'apprêtait à faire, personne ne se le pardonnerait. Et puis tant qu'à être sur place…

— Eeeh, meeerde ! abdiqua Joël. Pourquoi j'me laisse toujours entraîner dans vos niaiseries, moi ? !

— T'as juste à attendre ici si tu veux pas venir, déclara Meg en emboîtant le pas aux autres.

— Euh ! T'es-tu malade ? ! Y commence à faire noir pour vrai, j'vais pas rester ici tout seul !

De toute façon… Qu'est-ce qui pouvait bien leur arriver ?

CHAPITRE 41

L'INDICE DE LA TERRE

Un croissant de lune filtrait maintenant à travers le filet de nuages. Meg fonçait droit devant, bien décidée. Le cimetière se dessinait à quelques mètres d'eux, silencieux, lugubre. Quelques grillons chantaient leur ode à la nuit, pendant que les oisillons du printemps fermaient doucement les yeux, le ventre plein de purée de vers. Le vent sentait la pluie. Cette pluie qui tomberait demain, ou dans quelques jours. Les sept amis arrivèrent devant le terrain où des centaines d'âmes se reposaient pour l'éternité.

— Pis là ? demanda Joël.

— Je l'sais pas, avoua la minifille.

Elle se remit en marche, plus lentement, faisant le tour des épitaphes. Un chien jappa, au loin.

— C'est fou, là ! remarqua Jade. Dire que tout ce monde-là a déjà existé !

Tous ces noms gravés dans la pierre avaient autrefois appartenu à un homme ou à une femme bien en vie.

— Ha, ha, ha ! s'esclaffa Joël. *Check* comment y s'appelait, lui ! « Adémar Lagros ».

— Ha, ha, ha! Ça sonne comme «A démarre, la grosse!» fit remarquer Maggie.

Pendant que tout le monde s'amusait sur le compte d'un homme d'un autre temps, Zachari s'immobilisa, un peu plus loin. Son amie aux cheveux mauves vint le rejoindre.

— Qu'est-ce tu fais?

Devant lui, on pouvait lire: «Marc Zed, 1974-2003».

— Je l'savais pas qu'y était enterré ici, fit l'adolescente.

— Moi non plus. Ben… J'm'en souvenais pas. J'suis jamais revenu depuis l'enterrement.

Les autres arrivèrent, énervés d'avoir ri et fait des jeux de mots avec des noms trouvés ici et là. Ils se calmèrent instantanément en réalisant ce qui se passait du côté de leur ami.

— Oh, mon doux…, s'exclama Jade, dans un filet de voix émue. C'est-tu ton père, Zach?

— Ouais.

— Mais c'est ben triste, ça!…

Elle s'approcha et le serra dans ses bras. Dans un réflexe absurde, Zachari voulut voir si Émile le prenait mal. Ce dernier, le visage grave, ne pensait pas une seconde à être jaloux. De tout son cœur, il compatissait avec son ami pour la perte de son père. À cet instant, il avait même oublié l'histoire des billets de hockey.

— Veux-tu qu'on fasse de quoi? proposa Alice.

— Qu'est-ce tu veux faire?

— Ben… Je l'sais pas… On pourrait dire quelque chose.

— Ben non, là… C'est niaiseux.

— C'est pas niaiseux.

La jeune fille s'approcha de la pierre tombale. Dans le silence respectueux de ses pairs, elle se mit à parler :

— Allô, Monsieur Zed. J'm'appelle Alice Sénécal, j'suis l'amie de votre fils. J'voulais vous dire que Zachari, y est super fin. Pis y s'ennuie de vous. Mais j'suis sûre qu'un moment donné, vous allez vous retrouver. Pis y va avoir plein d'histoires à vous raconter…

Sentant que l'essentiel était là, elle recula et reprit sa place dans l'ombre. Il y eut un moment d'hésitation, et Jade s'avança à son tour :

— Monsieur Marc, je suis sûre que vous étiez un papa vraiment cool…

Ne pouvant pas retenir ses émotions, elle retourna à l'épaule de Zach, qui ne savait pas trop si cette situation était ridicule ou parfaite. De voir ses amis discuter avec son père mort paraissait étrange, mais le geste le touchait énormément. Il avait l'impression qu'au-delà des mots un gage d'amitié était en train de s'échanger entre ses compagnons et lui. Comme si, par ce rituel, chacun d'eux coulait dans une sorte de pacte sacré la promesse d'une alliance à long terme. Maggie y alla également :

— Bonsoir. J'm'appelle Maggie. Votre garçon pis moi, on est devenus amis l'année passée, à cause qu'on avait une prof qui était un peu folle. Ben… On était dans le même cours de français, aussi, mais c'est vraiment à cause du cours d'histoire qu'on est devenus des amis. En tout cas. C'est vrai qu'y est fin, pis y est super courageux aussi. J'espère que vous pouvez le voir d'en haut, pis que vous êtes fier de lui.

Joël décida de suivre :

— Euh… Ben, euh… C'est ça, là… Allô… Euh… Je l'sais pas c'que c'est d'avoir un père qui est mo… Euh…

Il se retourna vers Maggie et demanda :

— C'est quoi, la belle façon de dire « mort », déjà ?

— « Décédé », lui souffla cette dernière rapidement.

Il continua donc :

— Ouain, c'est ça… décédé. Mais j'suis sûr que c'est pas l'fun, pis j'vous promets que j'vais toujours être l'ami à Zachari pour le supporter pis toute… Fait que… C'est ça.

Le dodu retourna à sa place et jeta un œil incitatif vers Émile. Celui-ci s'avança en reniflant. Jade interpréta ce tic comme du chagrin mal contenu.

— Moi, c'est Émile, pis ben… La première fois que j'ai vu votre gars, j'ai un peu ri de ses oreilles…

Un ricanement s'éleva dans l'air humide. Zach lui-même dut se retenir pour ne pas s'esclaffer haut et fort au souvenir de cette anecdote. Jamais il n'aurait cru qu'une moquerie sur ses oreilles le ferait rire un jour. Même Meg sembla prendre plaisir devant l'aveu tordu.

— Mais pour vrai, euh… J'ai ben du fun avec. Des fois on… On s'entend pas toujours, mais sérieux… Quand j'vais être vieux, si jamais j'ai un enfant, ça… Ça me dérangerait pas qu'y soit comme lui.

Vint le tour de la minifille. Elle s'avança timidement, plia les genoux et s'assit sur ses pieds, face au tombeau. Les yeux fermés, une main sur la pierre et la tête baissée, elle parla dans un murmure. De son témoignage, on n'entendit que le claquement de ses consonnes et le sifflement de ses mots remplis d'air. L'entretien dura longtemps. Les autres attendirent dans un respect chargé d'humilité. Au bout de plusieurs secondes, Meg se releva et lança :

— OK. On s'en va.

Le petit groupe s'éloigna, laissant Zachari derrière.

— Salut p'pa…, laissa-t-il tomber. J't'aime, p'pa.

Ces paroles furent les seules à sortir de sa bouche. Il alla rejoindre les autres, un sentiment de bien-être au fond de l'âme. Bien-être qui ne s'éternisa pas. Alice, Jade, Meg, Maggie, Émile et Joël ne bougeaient plus, plantés là, devant une pierre tombale. Quelque chose semblait les hypnotiser.

— Qu'est-ce qui se passe ? s'inquiéta Zach en arrivant au pas de course.

Il tourna les yeux vers l'objet de leur fixation. Là, gravé dans le rectangle de marbre, solitaire au milieu des autres monuments funestes, un nom : Freda P. Partnam.

CHAPITRE 42

UNE DÉCISION PARTICULIÈRE

— Qu'est-ce qu'on fait ? les questionna Joël.

Meg resta de glace. Il fallait réfléchir. À vrai dire, cette escapade dans le cimetière n'avait, au départ, pas vraiment de but. La minifille voulait seulement explorer toutes les possibilités de ces supposées coordonnées géographiques pour rayer cette option de la liste et tenter de trouver le vrai message derrière les chiffres. Maintenant qu'elle y réfléchissait, tout collait :

— La plaque de marbre que Donovan a trouvée dans le filtreur. C'est le même matériel que les pierres tombales. Ça aussi, c'était un indice.

— Mais c'est qui, Freda P. Partnam ? l'interrogea Émile.

— J'ai regardé sur Internet, pis y avait rien, les informa Alice.

— Ouain, moi avec, dit son amie.

— C'est peut-être la mère du concierge, proposa Zach. « Freda », c'est un vieux nom, pis les mères, y ont quasiment jamais le même nom de famille que leurs enfants. *Check* la mienne ; a s'appelle Thériault…

— Pas dans ce temps-là, le contredit Maggie. Dans ce temps-là, les femmes prenaient le nom de famille de leur mari, quand y se mariaient. Fait que OUI, y avaient le même nom de famille que leurs enfants. Parce que tout le monde se mariait.

Une hésitation générale. On ne savait pas quoi faire, quoi dire, comment réagir. Puis ce fut Meg qui prit une décision, comme d'habitude :

— On n'a pas le choix. Faut qu'on creuse.

— QUOI ?!

L'exclamation vint de tout le monde en même temps. Joël commençait déjà à piétiner le sol de nervosité. Un thermomètre aurait pu confirmer un début de fièvre. Jade ne bougeait plus. La bouche ouverte et les yeux exorbités, elle attendait que leur amie se rétracte, change d'idée, annonce que c'était une blague. N'importe quoi, pourvu qu'elle ne leur fasse pas creuser une tombe.

— Ben là, avez-vous une meilleure idée ? lança l'adolescente en repoussant une mèche mauve.

— Ben, j'suis sûre qu'on peut trouver autre chose que de déterrer un cercueil ! s'exclama Maggie.

— Ça me tente pas plus que vous autres, OK ? Mais c'est logique : les coordonnées géographiques qui nous ont emmenés jusqu'ici ; le nom sur la plaque de marbre, le même que celui qui est écrit là ; pis le troisième indice : « La Vérité se trouve aux pieds du cadavre » ; pis, bizarrement, le seul indice qu'y nous manque, c'est celui de la TERRE. Ça vous prend quoi pour comprendre que c'est ÇA qu'y faut qu'on fasse ?

Le blond dodu se frotta le visage à plusieurs reprises. Tout ça devait être un cauchemar. Il fallait qu'il se réveille immédiatement, dans son lit, au chaud, chez lui. Avec ses parents tout près, pour le rassurer.

— Tu l'sais que c'est de la profanation, ça, hein ? tenta Maggie. Pis on peut aller en prison, pour ça !

— Non… Meg a raison, lâcha Zach. On n'a pas le choix. Si on le fait pas, Donovan y va le faire, lui. Pis là, y va trouver la formule. Moi, j'ai pas le goût que ça arrive. J'ai pas envie que tout change, pis qu'y aille des guerres.

— Moi non plus, mais…

Émile ne trouva rien d'autre à ajouter. Son ami avait raison. Il soupira.

— On n'a même pas de pelle !

— Si j'étais en forme, c'est là que je dirais que j'ai une cuillère, articula Joël, mais là pour vrai… J'pense que j'vais m'évanouir.

Son teint virait au vert. Le pauvre était mort de peur.

— Y a sûrement quelqu'un qui en a une, pas loin, une pelle…

— Ah, parce qu'en plus on va aller voler chez du monde ? ! s'offusqua Maggie.

— Ben, t'aimes-tu mieux creuser avec tes ongles ? ! On n'ira pas *voler*, on va juste leur emprunter, pis on ira la rapporter après, leur maudite pelle !

— Ouain, ben si on est pour faire tout ça, on est aussi ben de se grouiller, intervint Zachari, parce qu'y commence à être tard, pis nos parents vont nous chercher.

Ils se séparèrent donc dans la nuit sombre afin de trouver de quoi creuser.

— Dans quinze minutes, on revient ici, décida Jade. Même si on n'a pas de pelle.

— Bonne idée.

Au bout du délai, tous se retrouvèrent devant le lieu de repos de Freda P. Partnam. Zachari avait trouvé une vieille relique en métal, un peu lourde, mais qui ferait le travail. Jade et Émile, plus chanceux, étaient tombés sur des outils en aluminium. Beaucoup plus légers et maniables.

— Bon ben, on va se relayer, décida Maggie, à contrecœur.

Toute cette histoire ne lui plaisait pas du tout. Personne ne l'avait dit à haute voix encore, mais ils étaient tous terrifiés à l'idée de découvrir ce qui pouvait se trouver à l'intérieur du coffre en bois[29].

Le premier tour de labeur alla aux garçons. Normalement, la bienséance veut que ce soit « les femmes d'abord », mais dans ce cas-ci, la galanterie pouvait bien retourner se coucher.

— J'peux pas croire que j'suis en train de faire ça, j'peux pas croire que j'suis en train de faire ça ! répétait Joël en boucle.

— Jo, ferme-la ! lui ordonna Émile.

---

29.   Facile : un corps humain ! C'est très rare qu'on ouvre un cercueil et qu'on y trouve des poneys miniatures en train de jouer de la flûte de pan. (NDA)

Puis vint le tour des filles. Étant quatre, elles durent tirer au sort celle qui céderait sa place. Meg remporta le droit de continuer à ne rien faire.

— Non. J'veux pelleter. Donne-moi ça, Alice.

Elles creusèrent sans relâche, jusqu'à l'épuisement, ce qui obligea Émile, Joël et Zach à reprendre du service.

— Coudon, c'est ben creux, six pieds! réalisa Joël, qui, au bout de trois quarts d'heure, ne pensait même plus à sa peur.

Comme pour répondre à son affirmation, Émile donna au même moment un coup sur quelque chose de solide. Il releva la tête et considéra les autres, qui demeuraient figés sur place.

— On est rendus, dit-il simplement.

Encore un peu de temps fut nécessaire pour dégager le cercueil de toute la terre accumulée dessus.

— OK, c'est là, annonça Zachari en s'essuyant le front du revers de sa manche une fois la tâche terminée.

Un silence plana, que Meg brisa:

— Poussez-vous!

Les garçons sortirent du trou pour lui céder la place. Cette dernière inspira profondément et mit ses mains sur les poignées.

— Oh, maman! appelait le gros garçon. Oh, maman! Oh, maman! J'veux pas voir ça, j'veux pas voir ça! Oh, maman!!!

Il se mit une main devant les yeux, prenant soin de laisser un peu d'espace entre ses doigts pour entrevoir l'horreur qui les attendait tous.

Jade se cacha derrière Maggie, pendant qu'Alice se rapprochait instinctivement de Zach. Celui-ci ne pouvait pas décoller son regard de l'action et retenait sa respiration. Émile bougeait un genou en se tordant les doigts. Aucun d'eux ne portait plus attention à la fraîcheur ou aux bruits environnants. Toute leur concentration était dirigée vers la minifille, qui forçait à en devenir rouge. Pendant un moment, cette dernière crut qu'un mécanisme empêchait l'ouverture. Mais un léger écart se créa enfin, et le couvercle bougea.

— Oh, maman! Oh, maman! reprit Joël de plus belle, avec une voix qui oscillait entre l'hystérie et la supplication.

Dans un effort ultime, Meg ouvrit complètement le cercueil. Incapable de supporter l'angoisse du macabre spectacle, tout le monde se bloqua la vue ou se retourna en serrant les dents pour étouffer un cri. Jade ne put empêcher des larmes d'effroi d'inonder ses joues. Joël se jeta dans un buisson pour régurgiter son souper. Il y eut ensuite un grand silence. Zachari fut le premier à risquer un œil, poussé par l'inquiétude de ne plus entendre son amie bouger.

— J'comprends pas…, articula-t-il, ahuri.

Les autres se retournèrent aussitôt, confus. La voix du garçon n'avait pas indiqué de panique, de peur, ni de dégoût. Elle ne contenait que de la stupéfaction. Le cercueil était vide. L'oreiller, parsemé de terre, semblait n'avoir même jamais accueilli de tête sur son satin blanc.

— Hein?! fit Joël. J'comprends pas!

— Ben là, ça se peut pas, dit Émile en s'approchant.

Meg passa une main sur le fond. Que le corps n'y soit pas ne l'inquiétait pas. Mais si l'indice ne s'y trouvait pas non plus, le problème était différent.

— Heille, mais attends, pensa Maggie. « La Vérité se trouve aux PIEDS du cadavre. » *Check* donc à l'autre bout, où c'qu'y sont les pieds, d'habitude…

Avec les mêmes difficultés, le deuxième panneau du couvercle fut ouvert. Là, dans le coin, une petite boîte attendait qu'on la trouve. D'une main prudente, la minifille la saisit et regarda à l'intérieur. Un papier parchemin roulé sur lui-même et retenu d'une ficelle paraissait dire : « Enfin, vous voilà ! » Elle le sortit, le déroula et, dans ses yeux, une magnifique lumière rayonna.

— C'est la formule ! déclara-t-elle, heureuse.

Une exclamation de joie traversa le groupe. Après toutes ces recherches, tous ces casse-têtes, enfin, ils arrivaient au but. Le regard de Meg, pointé vers eux, se transforma soudain en une expression étrange.

— On vous dérange pas trop, j'espère ! dit une voix grave, dans leur dos.

Jade hurla à pleins poumons en se retournant, entraînant dans son geste Zach, Alice, Maggie, Émile et Joël.

Daniel et Donovan étaient là. En chair et en os. Très heureux de les avoir trouvés.

CHAPITRE 43

VISITEURS INDÉSIRABLES ET VISITE ESPÉRÉE

— C'est à vous que je parlais…, lança le directeur. On vous dérange pas trop?

Meg, partiellement cachée par le trou dans lequel elle se trouvait, composa aussitôt le 9-1-1 sur son cellulaire, sans porter l'appareil à son oreille. En sourdine, elle entendit la téléphoniste qui essayait d'établir la communication.

— À ce que je vois, vous avez trouvé ce qu'on cherchait, observa le prof d'histoire en pointant la fosse. Merci!

— Comment vous avez fait pour savoir qu'on était ici? demanda Zachari.

— Facile, expliqua Daniel. Vous souvenez-vous, le jour où y a quelqu'un qui est venu chez vous? Eh bien cette personne-là a fouillé partout, et dans la chambre où il a trouvé les objets étranges…

— Je l'savais que c'était toi! cracha Meg.

— Eh, OH! J'ai rien à voir là-dedans, moi! protesta le directeur. M'enfin. Un peu… Disons que j'ai demandé à la bonne personne.

— Qui?

— Un garçon que vous connaissez, je pense. Jimmy Saint-Germain. Y avait pas grand-chose à faire ce jour-là et il avait besoin d'argent… C'est fou ce que les gens sont prêts à faire pour 300 $! Bref, je lui ai demandé d'installer une petite caméra dans la chambre où il a trouvé les objets…

— Le même genre de caméra que celle dans la cachette secrète, si je comprends bien ? lâcha la minifille avec mépris.

— Oh, vous le saviez ? Eh bien… Oui. En fait, c'est *exactement* celle-là ! Je l'ai fait enlever de la pièce cachée et je lui ai demandé de l'installer chez vous en me disant que ça serait sûrement plus utile à cet endroit.

Voilà pourquoi les deux hommes n'étaient pas à la morgue. Ils n'avaient jamais entendu la discussion visant à les éloigner. Et voilà pourquoi Zachari n'avait pas vu de caméra en jetant un coup d'œil rapide dans la cachette.

— J'avoue que ça m'a pris du temps avant d'être capable de lire tout ce que vous avez écrit ce soir-là, dans votre discussion en ligne, mais finalement, avec les bons outils, j'ai réussi à mettre la main sur les informations qu'il fallait. Encore chanceux que l'ordinateur était dans cette pièce-là ! Sinon, on l'aurait jamais su que vous seriez ici ! En passant, Joël, tu écris vraiment mal. Je comprends pas ce que tu fais en deuxième secondaire. On devrait te renvoyer en première année. Oh, et Mégane, bravo pour ta petite astuce.

— Quelle astuce ?

— De mettre les objets dans mon sac sans que je m'en rende compte ! Ç'a presque fonctionné : Donovan a failli croire que c'était moi le responsable. Ça m'a pris une heure pour lui rappeler à quel point vous êtes hypocrites et démoniaques.

— Y a juste deux personnes de démoniaques ici, pis c'est pas nous autres, rétorqua l'adolescente.

— Bon, s'impatienta Donovan. Assez parlé, maintenant. Mégane, donne-moi la formule.

— Jamais.

Le prof d'histoire fit un signe de tête au directeur. Ce dernier s'empara d'Alice, qui laissa échapper un cri paniqué. D'une main, il la maîtrisa, et de l'autre, il plaça une lame sous sa gorge. La fille timide se mit à pleurer, terrifiée à l'idée de mourir. Ses muscles étaient contractés à en faire mal, et l'adrénaline la faisait trembler de tout son corps.

— Zachariiii ! ! ! ! appela-t-elle.

Ce dernier, interpellé par le désespoir et la peur de son amie, ne prit même pas la peine de réfléchir et cria :

— C'est pas Meg qui l'a, la formule ! C'est moi ! ! !

Tous tournèrent une paire d'yeux franchement surpris vers lui.

— Ben, tu ferais mieux de me la donner au plus vite si tu veux pas qu'y arrive de quoi à Mam'zelle Sénécal ! le menaça Daniel.

— Je l'ai… Juste ici…

Il fouilla dans sa poche et sortit le sable noir d'Eugène. Celui-ci brillait d'une douce lumière, s'adaptant aux rayons de la lune. De loin, le prof ne pouvait pas voir s'il s'agissait de liquide brillant ou d'un tout autre composé chimique. Mais, à n'en pas douter, la fiole ressemblait au travail d'Armand Frappet.

— C'est ça ? demanda-t-il, quand même perplexe.

— C'est ce qu'on a trouvé dans le cercueil, mentit le garçon.

Ses amis suivaient l'échange sans dire un mot. Ils espéraient tous que le prof d'histoire morde à l'hameçon. Le cellulaire de Meg vibra dans sa main. La communication de son appel précédent avait dû être coupée. Elle appuya sur la fonction « mise en marche », toujours sans répondre à la réceptionniste du centre d'urgence, qui essayait de savoir ce qui se passait. Alice suppliait ses compagnons du regard de lui venir en aide.

— On pense que c'est un échantillon de la formule, précisa Zachari.

— Donne ! lui ordonna l'enseignant.

— Laissez Alice s'en aller, avant.

— Non ! Si tu me la donnes pas tout de suite, j'vais y faire très mal ! Niaise pas avec moi, Zach ; j'en ai rien à foutre des p'tits imbéciles comme vous autres !

— Si tu y fais mal, je pète la fiole, pis y en aura pus jamais, de formule ! TOI, niaise pas avec moi !

Meg fut franchement étonnée (et fière) de cette réplique. Les deux adultes se consultèrent du regard. Ils ignoraient que le contenant était impossible à briser, et l'adolescent espérait ne pas avoir à le leur démontrer, ce qui ruinerait son mensonge et toutes leurs chances de s'en sortir.

— En même temps! déclara Donovan. Viens chercher ton amie, pis en même temps tu vas me donner le p'tit pot.

Le garçon s'approcha, nerveux. Ses jambes faiblissaient à chaque pas.

— Lâche-la, ordonna-t-il, rendu à proximité.

Daniel ôta le couteau de sous la gorge d'Alice et relâcha son étreinte. L'enseignant attendait, main tendue, que le garçon lui donne la fiole. Ce dernier déposa l'objet dans la main du professeur et, d'un même geste, poussa la prisonnière hors de portée de son agresseur.

— VA-T'EN! lui intima-t-il.

Tout se passa très vite ensuite. Alice courut vers les autres, qui l'entourèrent de toutes parts. Elle pleurait de soulagement et d'énervement. Ses nerfs venaient de subir le plus gros choc de leur vie. Donovan s'enfuit vers sa voiture, qu'il mit en marche avant de disparaître dans la nuit noire. Zach allait retourner lui aussi vers sa bande, quand Daniel sauta sur l'occasion pour régler de vieux comptes et s'empara de lui. En moins de deux, l'adolescent se retrouva dans la même position que la fille timide avant lui.

— Tu pensais t'en sortir comme ça, p'tit gars? fit le directeur, contrôlant mal son plaisir. J'ai des p'tites nouvelles pour toi, moi! C'est l'heure de la revanche! Vous avez commencé à gâcher ma vie l'année passée; c'est à mon tour de gâcher la vôtre!

— HAUT LES MAINS, LÂCHEZ VOTRE ARME! hurla une voix sortie de nulle part.

Une lumière se braqua sur Daniel, qui ne sut comment réagir. Il poussa dans le dos de Zachari, qui tomba face contre terre, puis s'enfuit en coupant à travers des arbustes. Le policier qui venait tout juste d'arriver partit à sa poursuite. Son collègue resta derrière pour prendre soin des adolescents.

— Ça va? Est-ce que tout le monde est correct? demanda-t-il.

Tous acquiescèrent de la tête. L'agent aida ensuite Meg à sortir du trou et les emmena vers la voiture.

— Comment vous avez su qu'on était là? questionna Zachari.

— On a reçu un appel du voisinage. Une personne a entendu un cri de mort tout à l'heure. Y ont tout de suite pensé que quelqu'un se faisait agresser.

Le cri de Jade en apercevant Daniel et Donovan.

— Mais y savaient où on était? fit Maggie.

— Non, y a fallu qu'on patrouille dans les environs un peu avant de vous trouver. C'est pour ça que ç'a pris du temps avant qu'on arrive. Vous êtes certains que personne est blessé?

— Oui, oui. Ça va, assura Jade. Là, ça va.

L'autre policier revenait déjà, dirigeant Daniel, à qui il avait menotté les mains dans le dos.

— Zachari! Pardon! supplia ce dernier. Dis-y que c'est un malentendu! S'il te plaît! J'suis désolé, c'est vrai! C'est un malentendu!

— Le pardon, ça mène nulle part avec les caves comme toi, lança Meg, heureuse de pouvoir lui remettre ça sous le nez. C'est toi-même qui nous l'as appris !

On fit entrer le directeur de force dans la voiture pour l'emmener. Une deuxième patrouille vint prendre le groupe d'amis afin de les ramener sains et saufs à la maison, après avoir recueilli leur déposition. Chacun répondit que le directeur les avait enlevés. Au fond, il ne s'agissait pas là d'un mensonge, puisque ce dernier avait bel et bien kidnappé des adolescents (dont eux !) pour leur faire du mal, sans jamais subir de punition, grâce à (ou à cause de !) Meg. Cette fois-ci, il n'y aurait pas de pardon. Pas de deuxième chance. Ce n'était que le juste retour des choses. Ce qu'ils auraient dû faire dès le début. Et ce qui leur aurait évité bien des problèmes au cours des derniers mois.

— Mais il y a une chose que je n'comprends pas, tiqua le lieutenant. Le cercueil ouvert ? Où est le corps ? Qui l'a profané ?

— On le sait pas, laissa tomber Meg, épuisée. C'était déjà comme ça quand on est arrivé. Vous demanderez au gros cave, ça doit être pour une autre de ses « œuvres d'art » ou quelque chose du genre.

— Est-ce qu'il vous a menacés de vous enterrer vivants ?

— Ben… J'étais dans le trou, en tout cas. Me semble que ça veut tout dire.

CHAPITRE 44

RETOUR AU BERCAIL

Les parents, inquiets à la folie, accueillirent les enfants à chaudes larmes[30], en les harcelant de questions. Seul Jacques Létourneau apprit l'exacte vérité. Meg lui raconta en détail les événements de la fameuse journée de la mort du concierge. Elle lui dévoila même l'identité d'Audrey-Maud et lui avoua pourquoi cette dernière était venue lui régler son compte dans l'après-midi. Avant que son père ne se fâche contre le clan entier des Gignac, elle lui expliqua pourquoi ils n'auraient plus de problèmes avec cette famille. Tout y passa : l'épisode de la tarentule ; la vidéo sur Internet ; la bataille derrière le magasin de beignes… Puis elle lui raconta la lettre trouvée sur le lit d'Eugène, leur mission, les raisons pour lesquelles ils n'en avaient parlé à personne. Son père n'était pas content.

— À quoi vous avez pensé ?! Vous avez failli vous faire tuer ! T'aurais pu m'en parler, au moins ! J'aurais fait quelque chose !

---

30. Y étaient pas si chaudes que ça, leurs larmes. Température pièce, je dirais. (NDA)

— Justement, on voulait PAS que tu t'en mêles ! De toute façon, comment t'aurais pu trouver les indices, hein ? Y étaient tous dans l'école ! Ç'aurait juste été louche que tu sois tout le temps là quand tu venais juste de te faire virer ! Donovan, y aurait su tout de suite, pis ç'aurait été pire !

De toute façon, la lettre s'adressait à eux. Et à personne d'autre. Si Eugène ne faisait pas mention du directeur dans sa requête, il devait avoir de bonnes raisons.

— J'peux pas croire, Mégane, on dirait que tu te rends pas compte du danger que…

— Je l'sais, papa ! Mais est-ce qu'on a réussi à la trouver, la maudite formule ? Oui ou non ?

Ils discutèrent toute la nuit en exposant chacun leur point de vue. Un long débat houleux sur l'amour d'un père pour sa fille versus les responsabilités de celle-ci, au cœur d'une histoire dont elle n'aurait jamais dû se mêler. Jacques entendait tout ce que sa fille lui disait et comprenait son sens du devoir, de la fidélité. D'une certaine façon, il était fier des valeurs de son enfant, de son courage, de son indépendance, de sa détermination. Mais rien ne l'empêchait de frissonner avec la rage d'un grizzly à l'idée que sa seule Mégane eût pu y laisser la vie. Ce Daniel, il voulait le faire payer, le torturer jusqu'à l'agonie…

À la fin, ils établirent une entente : Meg ne le laisserait plus jamais dans l'ignorance, et lui-même la laisserait régler ses problèmes comme une adulte.

— Je veux juste pouvoir intervenir aux moments les plus cruciaux. Comme ce soir, par exemple, plaida-t-il. Imagine si personne avait appelé la police pour se plaindre des cris? Personne serait venu vous aider. Malgré ton coup de fil au 9-1-1! Et là, c'était même pas toi qu'on menaçait, c'était Zach! Et toi, tu pouvais rien faire pour lui dans ton trou! Si tu m'avais appelé, moi, j'aurais tout de suite compris que quelque chose allait pas. J'aurais pu faire quelque chose, parce que j'aurais SU qui chercher et OÙ chercher! Tu comprends-tu, Mégane?

— Ben oui…

— J't'aurais même pas empêchée d'y aller, à Saint-Mathieu. J'aurais juste su où t'étais, et ÇA, ça fait toute la différence.

— Hmm, hmm!

— Est-ce qu'on a un *deal*?

— *Deal*.

Le lendemain, à l'école, chacun se raconta comment s'était passé le reste de sa nuit.

Joël avait dormi la lumière allumée, ce qui n'empêcha pas son imagination de produire malgré tout des rêves d'une violence inouïe. La mère de Jade avait dormi près d'elle, dans sa chambre. Même chose du côté de Maggie et d'Alice. Émile, quant à lui, s'était concentré sur un jeu vidéo. Il dormirait plus tard.

— Pis toi, Zed?

— J'ai jasé avec ma mère. Pour essayer de la rassurer. J'y ai dit pour mon père, que tout le monde y avait parlé. A vous a trouvés fins. Pis j'y ai raconté tout ce que Daniel nous avait fait à l'école.

— Pis ?

— A veut le traîner en cour.

— Mes parents aussi.

— Les miens aussi.

— Bah… J'pense qu'y va y aller de toute façon !

— Y va aller plus loin que ça, j'ai l'impression, argua Maggie.

— Ouais : en prison ! devina Joël.

Un silence.

— Heille, fit Meg pour attirer leur attention. J'ai découvert quelque chose.

— Quoi ?

— T'sais, là, le nom… Freda P. Partnam ?

— Ouain ?

— Ben, si tu mets les lettres dans un autre ordre, ça donne Armand Frappet.

— Hein, pour vrai ? ! s'exclama Jade, impressionnée.

— Ouain. J'pense qu'y a jamais eu de corps dans le cercueil. Le concierge a juste fait enterrer la formule à une place où y était sûr que personne irait jamais chercher…

— … Sauf si la personne avait les bonnes indications…, compléta Alice.

— OK. ÇA, c'est vraiment *weird* ! s'écria Joël.

— Ben. Je dirais plus que c'est vraiment intelligent, rectifia la minifille.

— Mets-en ! acquiesça Maggie.

— *Man*… C'est pas moi qui aurait pensé à ça, en tout cas, avoua Émile.

CHAPITRE 45

UNE DÉCOUVERTE TROUBLANTE

Daniel atterrit en prison, tel que prédit. On l'accusa de menaces de mort, de séquestration, d'enlèvement, de profanation, de tentatives de meurtre, de voies de fait, d'abus de pouvoir ; rien n'échappa au juge, ce qui fit l'affaire des parents et des adolescents impliqués dans l'histoire. On s'assura que les sept amis rencontrent un psychologue afin d'apaiser les mauvaises émotions qui pourraient éventuellement prendre racine et mener à des blocages à long terme. Meg se prêta à l'exercice avec toute la mauvaise foi qu'on lui connaissait. Parler ne faisait pas partie de ses activités préférées. À la fin de la première session, elle menaça son père de déménager en Afghanistan si on l'obligeait à continuer. Ce dernier comprit le message et la retira du programme, en insistant toutefois pour qu'elle LUI parle si le besoin s'en faisait sentir. Sa fille était forte. Il le savait. Depuis longtemps. La fin de l'année arriva ensuite, chassant les angoisses de tout le monde à grands coups de rayons de soleil. Les sept amis traversèrent les vacances au fil des heures paresseuses de l'été, profitant au maximum de ce repos tellement mérité. Chacun eut un emploi du temps chargé de plaisir, de visites et de voyages. Quand les deux mois furent terminés, on rentra à l'école avec le sourire, heureux de renouer avec la quiétude d'une école sécuritaire. Jacques reprit son poste de directeur de Chemin-Joseph, au grand bonheur de tous les élèves. Il faisait bon retrouver un visage bienveillant et protecteur. Rassurant.

Zachari se retrouva dans la chambre d'Eugène pendant une heure de dîner. Inconsciemment, il espérait que ce dernier avait laissé un message, quelque chose… L'endroit était dans le même état que la dernière fois qu'il l'avait visité. Les étagères renversées, les livres éparpillés partout, les papiers lancés en travers de la pièce, les bocaux brisés… Rien n'avait bougé.

Sans trop savoir pourquoi, il se mit à tout ramasser. Un peu d'organisation ferait du bien. Il ne voulait plus voir de désordre partout. L'ouragan était terminé, et plus que jamais, il voulait sentir un peu de contrôle, de discipline autour de lui.

Les papiers furent empilés sur le coin d'une des tables de travail, qu'il dut d'abord remettre sur ses pattes. Il expédia les débris de verre dans la poubelle et replaça les couvertures sur le lit. L'étagère lui demanda un plus gros effort, à cause de sa lourdeur, mais il en vint à bout. À la fin, il ne restait que les livres. Un à un, Zach les ramassa pour les replacer dans la bibliothèque. Des bruits de pas résonnèrent soudain sur le petit gravier du couloir menant à la chambre. Zachari releva la tête, inquiet, et se rappela qu'il n'avait plus rien à craindre. Daniel croupissait derrière les barreaux, et Donovan, curieusement, ne s'était pas pointé au cours du matin. Ce devait être Meg qui venait.

Une photo tomba de l'un des bouquins et se posa délicatement sur le sol. Le cœur du garçon bondit alors dans sa poitrine, menaçant d'exploser. Là, devant ses yeux ahuris, Armand Frappet, dans la vingtaine (on le reconnaissait à ses lunettes), souriait à pleines dents, bras dessus, bras dessous avec un ami. Zach ramassa lentement l'image et la retourna pour voir si les deux visages étaient identifiés, comme sa mère le faisait souvent sur ses propres clichés. Sa respiration s'accéléra. D'une petite écriture en pattes de mouche, on pouvait clairement lire les noms :

Armand Frappet
+
Marc Zed
Été 99

C'est... C'est mon père !...
— Bonjour, Zachari.

Ce dernier sursauta. Un très vieil homme se tenait dans l'entrée. Il s'agissait d'Armand Frappet (on le reconnaissait à ses lunettes !). L'homme lui sourit à travers ses rides. Il était si vieux ! Sa grosse tignasse brune se limitait désormais à un nuage blanc filamenteux. Sa peau, devenue plus flasque, était couverte de petites taches brunes. Toute sa posture avait changé,

313

comme si le poids de l'univers entier reposait sur ses épaules.

— Qu'est-ce que?… demanda l'adolescent en pointant le vieillard avec la photo.

— Je pense qu'il faut qu'on se parle, Zachari. Il y a des choses que tu ignores…[31]

---

31. C'est tellement chien de finir un livre sur une phrase mysté-rieuse qui donne pas plus de détails! Ouain… j'suis de même, moi. J'suis une agace-fin! (NDA)

La production du titre *Z. Le testament de Jim* sur 3 054 lb de papier FSC-SILVA EDI 106 plutôt que sur du papier vierge aide l'environnement des façons suivantes :

Arbres sauvés : 37
Évite la production de déchets solides de 1 450 kg
Réduit la quantité d'eau utilisée de 114 860 L
Réduit les émissions atmosphériques de 3 766 kg

C'est l'équivalent de :

Arbre(s) : 0,8 terrain(s) de football américain
Eau : douche de 5,3 jour(s)
Émissions atmosphériques : émissions de 0,8 voiture(s) par année

GARANT DES FORÊTS
INTACTES